Thomas C. Brezina

DER SCHATZ DER LETZTEN DRACHEN

Krimiabenteuer Nr. 51

Mit Illustrationen von Jan Birck

Ravensburger Buchverlag

STECKBRIEFE

HALLO,
ALSO HIER MAL IN KÜRZE
DAS WICHTIGSTE ÜBER UNS:

POPPI

NAME: Paula Monowitsch
COOL: Tierschutz
UNCOOL: Tierquäler, Angeber
LIEBLINGSESSEN:
Pizza (ohne Fleisch,
bin Vegetarierin!!!)
BESONDERE KENNZEICHEN:
bin eine echte Tierflüsterin –
bei mir werden sogar Pitbulls
zu braven Lämmchen

DOMINIK

NAME:
Dominik Kascha
COOL: Lesen, Schauspielern
(hab schon in einigen Filmen und
Theaterstücken mitgespielt)
UNCOOL: Erwachsene, die einen bevormunden
wollen, Besserwisserei (außer natürlich, sie kommt
von mir, hähä!)
LIEBLINGSESSEN: Spaghetti
(mit tonnenweise Parmesan!)
BESONDERE KENNZEICHEN:
muss immer das letzte Wort haben und kann so
kompliziert reden, dass Axel in seine Kappe beißt!

AXEL

NAME: Axel Klingmeier

COOL: Sport, Sport, Sport (Fußball
und vor allem Sprint, bin Schulmeister,
habe sogar schon drei Pokale gewonnen)

UNCOOL: Langweiler, Wichtigtuer

LIEBLINGSESSEN:
Sushi … war bloß'n Witz (würg),
also im Ernst: außer Sushi alles! (grins)

BESONDERE KENNZEICHEN:
nicht besonders groß,
dafür umso gefährlicher (grrrrrr!)

LILO

NAME: Lieselotte Schroll
(nennt mich wer Lolli, werde ich wild)

COOL: Ski fahren, Krimis

UNCOOL: Weicheier, Heulsusen

LIEBLINGSESSEN:
alles, was scharf ist, thailändisch besonders

BESONDERE KENNZEICHEN:
blond, aber unheimlich schlau
(erzähl einen Blondinenwitz
und du bist tot …)

Bibliografische Information der Deutschen Nationalbibliothek:

Die Deutsche Nationalbibliothek verzeichnet diese Publikation
in der Deutschen Nationalbibliografie.
Detaillierte bibliografische Daten sind im Internet über
http://dnb.d-nb.de abrufbar.

1 2 3   12 11 10

© 2002 und 2010 Ravensburger Buchverlag
Otto Maier GmbH
Umschlagillustration: Jan Birck
Printed in Germany
ISBN 978-3-473-47166-9

www.ravensburger.de
www.thomasbrezina.com
www.knickerbocker-bande.com

INHALT

GEFAHR IM GEBÜSCH

„Hört euch das an!" Aufgeregt trommelte Dominik mit dem Finger auf das Buch, das er gerade las. „Innerhalb weniger Sekunden wird euch die schrecklichste Gänsehaut eures Lebens über den Rücken kriechen."

Seine Freunde Axel, Lilo und Poppi verdrehten die Augen und stöhnten leise. Seit die Knickerbocker-Bande vor drei Tagen von daheim abgereist war, nervte Dominik sie mit immer neuen Horrorgeschichten und Schauermeldungen.

„Ihr wollt doch sicher wissen, was ich gerade herausgefunden habe!" Dominik blickte die drei anderen erwartungsvoll an.

„Was tust du, wenn wir Nein sagen?", erkundigte sich Lilo.

Dominik überlegte kurz und sagte: „Dann erzähle ich es euch trotzdem. Es geht nämlich um die Objekte unserer Neugier."

Wieder stöhnte der Rest der Bande auf. „Musst du immer so verdreht und kariert sprechen?", brummte Axel.

„Ich muss nicht, ich kann einfach nicht anders", erklärte Dominik. „Und was ich euch erzählen wollte, betrifft die Komodowarane. Ältere Tiere sind nicht mehr so schnell. Deshalb lauern sie ihrer Beute auf. Sie warten im Gebüsch, bis sich etwas Fressbares nähert. Dann schnellen sie vor und schnappen zu. Sie können sogar einen Menschen überwältigen. Schaurig, nicht?"

Poppi schnaufte ärgerlich. „Du tust so, als wären Komodowarane wilde, blutrünstige Killer. Aber das sind sie ganz bestimmt nicht."

„So, hast du schon mit einem gesprochen, Frau Professor?", stichelte Dominik.

„Natürlich nicht. Aber Komodowarane jagen nicht aus Spaß, sondern aus Hunger!", erklärte Poppi.

Dominik machte eine abfällige Handbewegung. „Du hast ja keine Ahnung", erklärte er. „Auf jeden Fall sind die Komodowarane Vorbild für alle Drachen aus Märchen und Sagen gewesen. Ich kann das gut verstehen. Habe wenig Lust, einer dieser Riesenechsen vors Maul zu laufen."

Der Motor des Geländewagens, in dem sie unterwegs waren, gab spuckende und hustende Geräusche von sich. Er ruckte heftig, als wollte er nach vorn springen, und blieb schließlich ganz stehen.

Lilo saß neben dem Fahrer. „Was ist denn los, Joe?"

Joe hatte die Aufgabe, die Knickerbocker-Bande zehn Tage lang zu betreuen und zu begleiten. Die vier Freunde waren im Auftrag einer großen Zeitung auf die Insel Komodo gekommen. Nur hier lebten die größten Reptilien der Erde, die geheimnisvollen Komodowarane.

Da Lilo einen Wettbewerb für Junior-Reporter gewonnen hatte, sollte sie nun mit ihren Freunden einen großen Bericht über diese Tiere schreiben, die oft als letzte Drachen der Erde bezeichnet wurden.

Mit verbissenem Gesicht versuchte Joe immer wieder den Wagen zu starten. Der Motor gab aber nur blubbernde Geräusche von sich und rührte sich schließlich überhaupt nicht mehr. Suchend blickte sich Joe um. Sie befanden sich auf einer holprigen Schotterstraße. Auf beiden Seiten wuchsen vertrocknete Büsche. Die Blätter und Äste waren von einer dicken grauen Staubschicht überzogen.

„Kinder, steigt ein bisschen aus und vertretet euch die Beine. Ich bringe die Karre schon wieder in Gang", versprach Joe. Es hörte sich aber nicht an, als würde er wirklich daran glauben.

„Sollen wir dir helfen? Ich kenne mich bei Autos gut aus. Mein Onkel besitzt eine Werkstatt und dort habe ich schon öfters zugeschaut", bot Axel an.

Joe lehnte dankend ab. „Ehrlich gesagt kann ich es gar nicht ausstehen, wenn mir jemand ständig über die Schulter schaut. Geht ein wenig spazieren!", forderte er die Bande auf.

Axel, Lilo, Poppi und Dominik sahen einander fragend an. Sie hatten wenig Lust herumzulaufen. Es war unvorstellbar heiß und feucht. Ihre kurzen Hosen und die weiten T-Shirts klebten an ihren Körpern. Die Hitze drückte sie nieder wie ein tonnenschweres Gewicht. Sie waren schon den ganzen

Tag müde gewesen und wussten, dass sie erst gegen Abend munter werden würden, wenn eine frische Brise über die Insel strich.

„Macht schon", verscheuchte Joe sie ungeduldig.

Die vier Freunde gingen widerwillig ein paar Schritte, dann drehten sie sich wieder um.

„Mann, könnt ihr euch nicht drei Minuten allein beschäftigen? Seid ihr Babys, die ich Tag und Nacht an der Hand führen muss?", stöhnte Joe.

Das ließen sich die vier nicht nachsagen. Axel entdeckte eine Lücke zwischen den Sträuchern und zeigte sie seinen Freunden. Sie traten hindurch und kamen auf eine längliche Wiese. Links und rechts erhoben sich knorrige, trockene Bäume und dichtes Buschwerk. Am Ende der Wiese weidete eine Herde Schafe.

„Wieso ist Joe auf einmal so komisch?", fragte Poppi die anderen. Als Antwort bekam sie nur ratloses Schulterzucken. „Es hat geklungen, als wollte er uns loswerden."

Lilo nickte. Diesen Eindruck hatte sie auch.

Die vier schlenderten über die Wiese und ließen die Straße immer weiter hinter sich. Sie waren so sehr in ihr Gespräch vertieft, dass sie das Rascheln in den Büschen nicht bemerkten. Im Schutz des dichten Blattwerks folgte ihnen jemand.

Ein weinerliches Fiepen ließ Poppi aufhorchen. Wer gab diese Laute von sich? Es musste ein Tier sein. Vielleicht war es verletzt? Suchend sah sie sich um. Unter den Ästen eines dornigen Gestrüpps entdeckte sie ein weißes Kaninchen. Es hoppelte hin und her, kam aber nicht vom Fleck. Es sah aus, als wäre es festgebunden oder in eine Fallschlinge getappt. Für Poppi war es eine Selbstverständlichkeit, dem Kaninchen zu helfen. Sie ging langsam näher und redete beruhigend auf das verängstigte Tier ein.

Das Kaninchen bewegte sich immer schneller, sprang in die Höhe und fiepte laut. Es versuchte zu flüchten, kam aber nicht von der Stelle.

„Ich tu dir nichts", versicherte Poppi mit sanfter Stimme. Sie hatte das Gestrüpp fast erreicht und streckte vorsichtig die Hand nach dem Kaninchen aus. Im selben Augenblick verschwand das Tier nach hinten. Poppi machte eine schnelle Bewegung näher, bekam es aber trotzdem nicht mehr zu fassen. Wie hatte sich das Kaninchen so schnell befreien können?

Das vertrocknete harte Laub des Busches raschelte laut und scharf. Zweige knackten und der Strauch wurde wie von einem Schwert in zwei Teile zerrissen.

Poppi brüllte aus Leibeskräften. Sie taumelte erschrocken nach hinten, stolperte und stürzte. Wie ein Käfer lag sie auf dem Rücken und strampelte mit Armen und Beinen. Der Schock war so schlimm, dass sie nicht aufstehen konnte. Sie wusste nicht mehr, wo oben und unten war.

Vor ihr war ein riesiger Reptilienschädel aus dem Strauchwerk geschossen. Mächtige, starke Klauen mit langen scharfen Krallen zerteilten den Busch und trampelten ihn nieder. Unermüdlich sauste die gespaltene Zunge des Tieres suchend und tastend aus dem Maul.

Ein Komodowaran! Er hatte hinter dem Busch gelauert und stürzte sich nun auf Poppi. Mit schnellen breitbeinigen Schritten war er über ihr, warf den Kopf in die Höhe, riss das Maul auf und schnellte auf sie herab. Poppi sah direkt in den dunklen Rachen, bevor sie ohnmächtig wurde.

FEUER SPEIENDE
DRACHEN

Axel, Dominik und Lilo war gar nicht aufgefallen, dass sich Poppi entfernt hatte. Als sie ihren Schrei hörten, drehten sie sich erschrocken um. Es war bereits zu spät. Sie konnten ihrer Freundin nicht mehr helfen. Der Komodowaran schnappte gerade zu.

„Nein!", brüllte Lilo. „Hau ab! Verschwinde!"

„Joe! Joe, komm schnell!", riefen Dominik und Axel in Richtung Straße. Doch Joe erschien nicht.

Der Komodowaran warf den Kopf hin und her. Mit dem massigen plumpen Körper verdeckte er seine schreckliche Tat.

„Joe … wir müssen … ihn holen!", stammelte Axel. Der Schock hatte ihn fast gelähmt. Steifbeinig bewegte er sich über die Wiese zu der Stelle, an der das Auto seinen Geist aufgegeben hatte. Dabei kam er den Büschen am Rand der Wiese sehr nahe. Als er das Rascheln hörte, war es bereits zu spät. Wie ein grüngrauer Schatten schoss ein weiterer Waran heraus und stieß Axel zu Boden. Er spürte die schweren Pranken auf seinem Rücken und wusste, dass er keine Chance hatte zu entkommen.

Lilo und Dominik rangen nach Luft. Sie blickten von Poppi zu Axel und von Axel zu Poppi.

Helfen! Wir müssen ihnen helfen, schoss es beiden durch den Kopf. Aber wie? Gegen die riesigen Warane waren sie ohne Gewehr machtlos. Die ausgewachsenen Tiere waren fast so groß wie ein Kleinwagen.

„Joe ... Gewehr im Wagen", stammelte Dominik. Er blieb in der Mitte des Wiesenstreifens, falls noch weitere Komodowarane hinter den Sträuchern lauerten. Taumelnd, stolpernd, torkelnd und keuchend kämpfte er sich zur Straße. Er war noch keine zwanzig Schritte weit gekommen, als der Boden unter seinen Füßen nachgab. Mit einem erschrockenen Schrei stürzte er in die Tiefe. Er landete weich auf einer dicken Schicht aus fauligem Stroh. Stöhnend richtete er sich auf und sah nach oben. Die Öffnung schien ihm kilometerweit entfernt. Da er alles andere als sportlich war, würde er hier nie herauskommen.

Lilo hatte den Absturz ihres Freundes beobachtet und wollte zu ihm.

„Hilfe … helft mir doch", hörte sie Axel stöhnen.

Der Komodowaran gab brüllende und zischende Laute von sich. Aus seinem Maul tropfte weißer Schaum.

Lilo stutzte. Axel und Poppi schienen unverletzt. Die Warane hielten sie nur auf den Boden gepresst. Spielten sie vielleicht noch mit ihrer Beute, wie Katzen das manchmal mit Mäusen tun?

„Joe … wo steckt er?", flüsterte Lilo, deren Hals wie zugeschnürt war. Sie atmete ein paarmal tief durch und versuchte sich ein bisschen zu beruhigen. Ruhe war in einem so schrecklichen Augenblick das Wichtigste. Sie wusste das von ihrem Vater. Er war Bergführer und hatte es Lilo eingetrichtert.

Aber wie konnte man sich beruhigen, wenn die besten Freunde in den Klauen der letzten Drachen der Erde waren?

Das Brüllen und Fauchen der Warane wurde heftiger. Weißer Dampf quoll aus ihren Nasenlöchern. Sie hoben die Köpfe, rissen die Kiefer auf und präsentierten lange Reihen messerscharfer Zähne.

„Lilo! Lilo!", kam Dominiks Stimme aus der Grube. Er klang sehr aufgeregt. War vielleicht auch dort unten eine der schaurigen Echsen?

Die Komodowarane holten tief Luft, pumpten sich dick auf und dann ...

Lilo kniff die Augen zusammen. Sie erlebte einen Albtraum am helllichten Tag. Das gab es nicht. Das konnte nicht sein. Es war unmöglich. Oder?

Die Reptilien spien Feuer. Meterlange Feuerfontänen schossen aus ihren Mäulern in die Luft.

Es waren Drachen. Echte Drachen. Drachen wie in Sagen. Aber wie war das möglich? Wie konnte es so etwas geben?

Das Tier über Poppi zuckte auf einmal heftig mit dem Kopf. Ruckartig bewegte es ihn von einer Seite auf die andere.

Links-rechts-links-rechts. Unermüdlich. Dazu gab es klickende Laute von sich.

Der Komodowaran, der Axel niedergestoßen hatte, holte schon wieder Luft und setzte zu einem weiteren Feuerstoß an. Seine schuppige, faltige Haut wurde prall und glatt. Das Einatmen schien kein Ende zu nehmen. Immer dicker und runder wurde das Reptil.

Lilo schlug die Hände vor das Gesicht und sah durch die Finger. Der Waran platzte. Die Haut zerriss. Darunter kamen dunkelgraue Muskeln zum Vorschein, die glatt und glänzend waren.

Aus dem Maul des Tieres schoss mit einem donnernden Geräusch der nächste Feuerstrahl zum Himmel. Danach senkte der Waran den Kopf und fixierte Axels Beine. Wieder begann das pumpende Atmen.

„Nein, kein Feuer. Nicht!", schrie Lilo. Sie sah sich nach einem dicken Stock um, mit dem sie den Komodowaran vielleicht vertreiben konnte. Das Einzige, was sie fand, war ein faustgroßer Stein. Sie hob ihn auf, zielte und warf.

Der Stein prallte an dem mächtigen Tier ab, als wäre er aus Watte, und fiel zu Boden.

„Lilo … schnell … komm her!", rief Dominik aus dem Loch, in das er gestürzt war.

„Ich kann jetzt nicht … Poppi … Axel … die Biester spucken Feuer!", keuchte Lilo.

Der Komodowaran über Axel war fast schon eine Kugel. Die Kiefer klappten weit auseinander und die Augen leuchteten rot auf. Der Feuerstrahl würde Axels Beine versengen.

Aber auch das Tier, das Poppi niederdrückte, setzte zu einem Feuerstoß an.

„Lilo, hier sind Kabel!", meldete Dominik aufgeregt.

Kabel? Das Wort klang in Lilos Ohren wie Würstchen mit Marmelade. Sie stolperte zu der Stelle, an der Dominik verschwunden war. Vor ihr befand sich ein kreisrundes Loch im Boden. Die Wände der Grube waren betoniert. Dominik kniete auf dem stinkenden braunen Stroh und deutete stumm auf eine Art Schaltkasten an der Wand. Er stand offen. In seinem Inneren befanden sich verschiedene Kontrolllampen und Schalter. Einige der Lampen flackerten wild und schnell, als hätten sie einen Wackelkontakt.

Lilo ließ sich am Rand des Loches nach unten gleiten und schob Dominik zur Seite. Sie warf einen Blick auf die Schalter und entdeckte, dass mehrere auf ON standen. Ohne lange zu überlegen, drückte sie alle auf OFF.

Über ihren Köpfen ertönte ein ohrenbetäubender Knall. Etwas Dunkles flog durch die Luft und krachte in der Nähe zu Boden. Von Axel und Poppi aber kam kein Ton.

ÜBERRASCHUNGEN

Dominik sah Lilo fragend an. „Was … was hast du gemacht?"

Lilo, die oft als das Superhirn der Knickerbocker-Bande bezeichnet wurde, hatte eine Idee, was geschehen sein konnte.

„Diese Anlage … das sind Elektrozäune, die die Komodowarane abhalten sollen", kombinierte Dominik mit ernstem Gesicht. „Du hast sie unter Strom gesetzt … oder abgeschaltet … dann sind jetzt noch mehr Tiere frei."

„Quatsch!", murmelte Lilo. „Mach mir eine Räuberleiter, ich muss da raus. Schnell!"

Dominik verschränkte die Finger beider Hände zu einer Art Steigbügel. Lilo trat hinein und kletterte über seine Schulter nach oben. Sie zog sich am

Rand der Grube in die Höhe und kroch auf die Wiese.

„Was … was siehst du?", fragte Dominik ängstlich.

Er bekam keine Antwort. Lilo starrte stumm auf einen ekeligen grauen Hautfetzen, der vor ihr im Gras lag. Sie wich zurück und wollte einen großen Bogen um ihn machen. Dann aber fiel ihr Blick auf die Stelle, an der Axel von dem Komodowaran angefallen worden war. Das Tier stand noch immer da, doch ein großer Teil seiner Haut fehlte. Darunter …

Lilo hörte ein Stöhnen und Keuchen. Axel lag nach wie vor auf dem Bauch und versuchte mit aller Kraft die schwere Klaue des Warans zur Seite zu stemmen. Das Tier schien in der Bewegung erstarrt zu sein.

Kein Wunder. Es war auch nicht echt, sondern ein Roboter. Unter der geplatzten Haut war ein Metallskelett zum Vorschein gekommen. Die grauen Muskeln waren in Wirklichkeit Kunststoffsäcke, die je nach gewünschter Bewegung mit Luft gefüllt oder wieder leer gepumpt wurden.

Schnell lief Lilo zu Axel und zerrte das Waranbein in die Höhe. Im Boden sah sie nun die Schienen, auf denen sich der Roboter bewegte.

Poppi starrte mit weit aufgerissenen Augen zum Kopf der schaurigen Echse hoch. Der Komodowaran glotzte auf sie herunter. Sein Maul stand offen und eine dünne Rauchfahne kam heraus.

Erst jetzt sah man, dass die Pranken des Tieres Poppi nie berührt hatten. Sie waren zehn Zentimeter über ihrem Körper in der Luft verharrt.

Poppi konnte nicht gleich aufstehen. Sie musste noch ein paar Minuten im Gras sitzen bleiben und sich beruhigen. Axel und Lilo ließen sich neben sie sinken.

Wütend schnaubte Axel: „Kann mir einer erklären, was das hier soll? Ist das der Rummelplatz von Komodo oder was?" Aufgebracht klopfte er die Erde von seiner neuen Kaki-Shorts, auf die er besonders stolz war. Das gute Stück hatte einige Grasflecke abbekommen.

„Wie diese Roboter hierher kommen, weiß ich auch nicht", sagte Lilo. „Auf jeden Fall sind sie kaputt und gestört. Die hätten euch versengt. Zum Glück ist Dominik in dieses Loch gefallen, in dem sich der Steuerungskasten befindet."

Dominik! Ihn hatte sie ganz vergessen. Sie sprang auf und lief zu ihm. Doch das Loch war leer. Ihr Freund war verschwunden.

„Wie hat er denn das gemacht? Er kann sich niemals allein befreit haben!", murmelte Lilo verwundert. Sie sah sich auf der Wiese um, entdeckte ihn aber nirgendwo.

„Dominik?", rief sie. „Dominik, wo steckst du?"
Er meldete sich nicht.

„Das … das gibt es nicht … er muss dort unten sein!", brummte Lilo. Sie konnte es nicht ausstehen, wenn sie keinen Durchblick hatte.

„Was ist denn los?", rief Axel ihr zu.

Lilo gab keine Antwort, sondern ließ sich noch einmal in die Grube hinunter. Der Metallschrank, in dem sich die Steuerung der künstlichen Warane befand, war abgeschlossen. Die Tür ließ sich nicht mehr öffnen. Wer hatte das gemacht?

Langsam drehte sich Lilo einmal im Kreis. Dem Schrank genau gegenüber befand sich eine sehr schmale, niedrige Metalltür. Sie war an der Innenseite vielfach mit Metallstangen und Bändern verstärkt, ließ sich aber nicht öffnen. Da die Tür in einer tiefen Nische lag, war sie Lilo bisher nicht aufgefallen.

„Ich glaub, ich träume", sagte sie leise. Es musste jemand in der Zwischenzeit gekommen sein, den Schrank abgeschlossen und Dominik mitgenommen haben.

Als Axels Kopf über ihr auftauchte, streckte sie

die Arme nach oben und bat: „Zieh mich hoch." Axel legte sich auf den Bauch und packte Lilos Unterarme im Turnergriff. Es war für sie keine große Schwierigkeit, an der Wand hochzuklettern und auf die Wiese zu rollen.

„Hier ist ein Wahnsinniger unterwegs. Er muss Dominik mitgenommen haben", berichtete Lilo aufgeregt.

Aber wo war eigentlich Joe? Sie hatten mehrmals nach ihm gerufen. Er musste doch auch den Knall gehört haben, als der Komodowaran zerplatzt war. Gemeinsam mit Axel und Poppi ging das Superhirn zur Straße zurück. Keiner der drei hatte es sehr eilig. Was würde sie dort erwarten?

Die drei Freunde traten durch dieselbe Lücke im Buschwerk, durch die sie auf die Wiese gekommen waren.

Poppi atmete erschrocken ein. Stumm deutete sie zum Wagen. Dort stand Joe gegen die Tür gelehnt. Dominik war bei ihm. Joe hatte ihm eine Hand über den Mund gelegt, damit er keinen Ton von sich geben konnte, und hielt mit der anderen Hand Dominiks Handgelenke umklammert. Der Knickerbocker versuchte sich seinem Griff zu entwinden, war aber nicht sehr erfolgreich.

„Joe hat die Autopanne nur vorgetäuscht", schoss

es Lilo durch den Kopf. „Er will in Wirklichkeit …"
Ja, was wollte er eigentlich? Was sollte das alles?

Axel, Poppi und Lilo blieben stehen und starrten den Mann fragend an. Ein paar Augenblicke lang sagte keiner etwas.

„Da staunt ihr, was?", kam es von Joe. „Damit haben die berühmten Junior-Detektive nicht gerechnet, oder?"

„Können wir endlich erfahren, was hier gespielt wird?" Lilo versuchte ihre Stimme unerschrocken und laut klingen zu lassen. Doch es gelang ihr nicht wirklich gut.

Joe sah sie abschätzend an. „Ihr seid doch die großen Detektive. Ihr solltet doch schon längst herausgefunden haben, was los ist."

„Du hast diese mechanischen Biester in Gang gesetzt. Es gibt einen unterirdischen Tunnel, durch den du zum Steuerungsschrank gelangen konntest", kombinierte Lilo. „Unklar ist, wie dieser miese Spuk hierher gekommen ist und wozu er gut sein soll."

„Das kann ich euch gerne verraten!", kündigte Joe an. Dabei grinste er teuflisch. Aus seinen Augen blitzte es böse.

ES WÄRE
EINE SENSATION

Im nächsten Augenblick begann er schallend zu lachen. Er ließ Dominik los, der sofort zu seinen Freunden rannte, und klopfte sich grölend auf die Schenkel.

„Ich möchte gerne wissen, was da so witzig ist?", knurrte Axel.

„Der ist nicht dicht!", schnaubte Lilo aufgebracht.

Joe machte einige Schritte auf sie zu. Die vier Knickerbocker-Freunde wichen erschrocken zurück.

„He, halt. Ich bin doch völlig harmlos. Vielleicht manchmal ein bisschen verrückt und überdreht, aber sanft wie ein Lämmchen", versicherte ihnen Joe.

Er war ungefähr dreißig Jahre alt, braun gebrannt und hatte weizenblonde Haare. Seine Klamotten waren alle ausgefranst und uralt. Auf dem Kopf trug er einen ausgebleichten Stoffhut, der die Form eines umgedrehten Kochtopfes hatte. Joe hatte einmal erwähnt, dass er ihn am liebsten auch in der Nacht beim Schlafen aufließ.

„Habe ich euch wirklich so sehr erschreckt?", fragte er besorgt. „Dabei sollte es nur ein kleiner Scherz sein."

Axel bekam einen roten Kopf vor Wut. „Kleiner Scherz? Du spinnst wohl! Hast wohl in der Witzkiste geschlafen. Beim Aufstehen muss dir aber der Deckel auf den Kopf geknallt sein."

Joe stemmte empört die Arme in die Seite. „Kein Grund frech zu werden", sagte er streng. „Ich kann euch alles erklären. Lilo, du bist wirklich nicht schlecht im Kombinieren. Kompliment." Joe holte tief Luft und erzählte. „Das Grundstück gehört einem Australier namens Mister Krok. Er hat so viel Geld, dass er sich damit wahrscheinlich das Haus tapezieren könnte. Ganz in der Nähe besitzt er eine prachtvolle Villa, die fast das ganze Jahr leer steht. Das letzte Mal war Mister Krok vor ein paar Jahren hier.

Um seine Freunde ein bisschen zu erschrecken, hat er auf der Wiese die Anlage mit den künstlichen Komodowaranen bauen lassen. Unterirdisch gelangt man zur Steuerung. Früher war dort ein Periskop, wie bei einem U-Boot. So konnte man von unten sehen, was sich oben abspielt. Ich wusste nicht, dass die Abdeckung des Schachtes kaputt ist. Aber da ich die Villa von Mister Krok versorge, kenne ich auch die Anlage."

„Die Roboter sind alle kaputt und gefährlich. Wir hätten auch verletzt werden können!", schimpfte Poppi. Ihr Herz raste jetzt noch.

Joe hob entschuldigend die Arme und rief: „Sorry, sorry, sorry. Es tut mir ja so Leid. Ich werde heute Abend alles mit einer Extraportion Eis wieder gutmachen."

„Das muss aber schon wirklich besonders gutes Eis und eine Portion so groß wie ein Iglu sein", erklärte ihm Axel.

„Ihr seid ganz schön streng", seufzte Joe. „Die Sache hier bleibt bitte unter uns. Die Leute von der Zeitung finden den kleinen Scherz vielleicht auch nicht so komisch und zahlen mir dann mein Honorar nicht. Ich brauche aber das Geld. Kann ich mich auf euch verlassen?"

Dominik rückte seine Brille zurecht und sagte: „Nur, wenn du uns in Zukunft mit Scherzen dieser Art verschonst."

„Versprochen!" Joe hob zwei Finger zum Schwur.

„Aber jetzt steigt ein. In einer halben Stunde erwartet uns Dr. Linta, und ich möchte pünktlich sein."

Die Knickerbocker säuberten sich von Erde und Gras, so gut es ging. Dominik, der nur weiße Klamotten trug, rümpfte die Nase. Es störte ihn sehr, der berühmten Komodowaran-Forscherin so schmutzig gegenübertreten zu müssen.

„Wir wollen ihr Fragen stellen und keinen Heiratsantrag machen", tröstete ihn Axel.

Lachend kletterte die Bande in den Wagen.

Während ihres Aufenthalts auf Komodo sollten sie noch weiteren Waranen begegnen. Allerdings würde es sich um echte Tiere handeln. Um echte Komodowarane mit einem großen Geheimnis.

Joe lenkte den Geländewagen über eine schmale Schotterstraße zur Küste hinunter. Umgeben von saftig grünen Pflanzen mit riesigen Blättern lag dort ein ungewöhnliches Holzhaus. Es erinnerte ein bisschen an eine Pyramide, da jedes Stockwerk ein Stück kleiner war, als das Stockwerk darunter. Ganz oben auf dem Haus befand sich eine Terrasse.

Der Weg zum Eingang war von bunt blühenden Pflanzen und Blumen gesäumt. Keine einzige davon hatten die Knickerbocker-Freunde je zuvor gesehen. Joe ging voraus, stieg die drei Stufen zur Tür hinauf und klopfte an. Obwohl die Knickerbocker-Bande ein paar Schritte hinter ihm stand, konnten die vier hören, dass im Haus gesprochen wurde.

„Was? Sag das noch einmal!", hörten sie eine Frauenstimme. Sie klang sehr aufgeregt und laut. „Bist du sicher? Wann soll das gewesen sein? … Nein, ich war seither nicht drüben. Ich fahre heute. In Kürze kommen diese Kinder, die mich interviewen wollen, und ich möchte die Gelegenheit nutzen und auf die Insel fahren."

Lilo hob fragend die Augenbrauen. Wovon sprach die Frau? War das Dr. Linta? Auf jeden Fall schien hier telefoniert zu werden.

„Und du bist sicher, die Information ist verlässlich? Du weißt, es wäre eine Sensation. Allerdings bin ich mir nicht sicher, welche Auswirkungen der Vorfall auf die Komis hat", redete die Frau weiter.

Axel verdrehte die Augen. „Komis! Ein niedlicher Name für diese Riesentiere."

„Pssst!", zischte Lilo und machte eine ärgerliche Handbewegung. Sie wollte kein Wort von dem versäumen, was im Haus gesprochen wurde.

„Jaja, ich halte dich auf dem Laufenden. Melde mich, sobald ich mehr weiß. Mach's gut!" Ein Klicken verriet, dass sie aufgelegt hatte.

Joe klopfte noch einmal und lauter. Gleich darauf

wurde mit einem krachenden Geräusch die Tür aufgerissen und eine Frau in kakifarbenem Safarianzug trat heraus. Sie war sehr klein und reichte sogar Axel nur bis zum Kinn. Ihre Bewegungen waren quirlig, und so etwas wie Stillstehen gab es bestimmt nicht für sie.

„Hallo, hallo, hallo!", begrüßte sie die Gäste und strich sich mit dem Handrücken die vielen Haarsträhnen aus dem Gesicht. Bevor sie den vier Knickerbocker-Freunden die Hand reichte, wischte sie sie an ihrem Safarianzug ab. „Ich bin Su Linta, und ihr seid also die jungen Reporter."

Lilo stellte sich und ihre Freunde vor. Großes Gelächter gab es, als Dominik Dr. Linta einen Handkuss gab.

„Wir sind hier in der Wildnis und nicht im Ballsaal", erinnerte ihn Axel.

Dr. Linta lächelte geschmeichelt und meinte: „Ich freue mich sehr, auch hier einem Gentleman zu begegnen. Übrigens könnt ihr mich Su nennen. Kommt rein, ich stehe jetzt gerne zur Verfügung."

Die vier betraten das Haus, das innen düster wirkte. Schuld daran waren die geschlossenen Fensterläden. „Der einzige Schutz gegen die Hitze", erklärte die Forscherin. Sie bot ihnen Platz an einem großen runden Tisch an und öffnete eine Flasche

Cola. Axel, Lilo, Poppi und Dominik ließen sich in wuchtige Stühle sinken, die aus dicken Ästen gezimmert waren.

„Fragt, fragt, fragt!", drängte Su und zwinkerte den vieren aufmunternd zu.

„Äh…", begann Lilo etwas verlegen, „mit wem haben Sie gerade telefoniert?"

Su Linta stellte die Flasche heftig ab. Das Lächeln war aus ihrem Gesicht verschwunden. „Habt ihr etwa gelauscht?", schnaubte sie aufgebracht.

„Nein, nein, wir haben nur vor der Tür gewartet", versuchte Joe sie zu beruhigen.

„Ach so!" Die Forscherin blieb trotzdem misstrauisch. „Was habt ihr denn alles gehört?"

Lilo beschloss, bei der Wahrheit zu bleiben. „Sie haben mit jemandem telefoniert und eine überraschende Meldung bekommen, die mit den Komodowaranen zu tun haben könnte."

„Die vier sind Hobby-Detektive", erklärte Joe und lächelte entschuldigend.

Dr. Lintas Stimme klang kalt, als sie sagte: „Was immer ihr gehört habt, es geht euch nichts an. Ich breche dieses Interview sofort ab, wenn ihr nicht versprecht, niemandem etwas von dem Telefongespräch zu sagen."

Die Knickerbocker sahen einander erstaunt an.

„Jaja, wir versprechen es!", sagte Lilo schnell. Die anderen nickten.

„Gut!" Su lächelte wieder und schenkte Cola in Gläser. „Aber nun zu euren Fragen."

Die Bande schwieg betreten. Alle vier hatten auf einmal ein komisches Gefühl. Wieso war Dr. Linta gerade so aufgebraust? So schrecklich war Lilos Frage auch nicht gewesen. Oder doch? Für das Superhirn gab es nur eine Erklärung: Su Linta hatte gerade ein Telefonat geführt, von dem niemand erfahren sollte. Lilo war aber dadurch nur noch neugieriger geworden. Was konnte die Komodowaran-Forscherin gerade so Wichtiges und streng Geheimes erfahren haben?

DIE INSEL
DER LETZTEN DRACHEN

„Was ist denn? Wieso fragt ihr nichts?" Su Linta
wurde ungeduldig. Um die peinliche Stille zu be-
enden, sagte Dominik schnell: „Äh … also … Joe
hat uns versprochen, Sie würden uns echte Komodowarane zeigen. Stimmt das?"

„Natürlich stimmt das. Allerdings leben sie nicht
hier auf der Hauptinsel Komodo. Rundherum gibt
es viele kleine unbewohnte Inseln. Eine davon ist
mein Forschungsgebiet. Dort beobachte ich die Riesenechsen schon seit sieben Jahren."

„Fahren wir dorthin?", wollte Axel wissen.

„Ja, natürlich. Macht euch allerdings keine Hoff-
nungen, einen Komodowaran aus nächster Nähe zu
sehen. Das ist viel zu gefährlich. Die Tiere können
sehr schnell sein. Ich habe einen Aussichtsturm in

einem Gebiet errichtet, in dem keine Komodowarane leben. Von dort aus sieht man gut über
einen großen Teil der Insel, der nur schwach bewaldet ist und viel Grasland besitzt. Mit ein bisschen
Glück könnt ihr vom Turm aus Komis sehen!" Su
Linta blickte von einem Knickerbocker zum anderen. „Wenn ihr bereit seid, ich bin es auch."

Die vier Freunde nickten und standen auf. Die
Gläser mit Cola hatten sie nicht einmal angerührt.
Die Forscherin entschuldigte sich für einen Mo-
ment und kletterte über eine Leiter in das nächste
Stockwerk hoch.

„Tolles Haus, hätte ich auch gerne", stellte Axel
fest.

Heimlich und so unauffällig wie möglich bewegte
sich Lilo zum Telefon. Es war ein moderner Tasten-
apparat. Wahrscheinlich das einzige Moderne in
diesem seltsamen Haus. Mit einer schnellen Bewegung hob sie den Hörer ab und drückte die Wiederwahltaste. Auf der Anzeige erschien eine lange
Nummer.

„Dominik", flüsterte sie und gab ihm mit dem
Kopf ein Zeichen zu ihr zu kommen. „Merk dir die
Nummer!"

Dominik war ein Zahlengenie. Selbst lange Zah-
lenreihen konnte er sich sofort einprägen. Er fragte

nicht lange, sondern ließ die Augen mehrere Male über die Telefonnummer gleiten. Danach nickte er kurz. Schnell legte Lilo den Hörer wieder auf.

Joe winkte die vier Freunde zu sich und raunte ihnen zu: „Ist manchmal ein bisschen schlecht gewickelt, die Frau Doktor. Kommt wahrscheinlich von dem ständigen Umgang mit den Komis. In dieser Gesellschaft würde ich wahrscheinlich auch muffig werden." Er grinste breit und zwinkerte den Knickerbockern verschwörerisch zu.

„Das habe ich gehört!", kam Su Lintas Stimme von hinten. Joe zuckte erschrocken zusammen. Sie trat auf ihn zu und blickte ihn streng von unten an. „Wäre ich größer, würde ich Ihnen für diese Frechheit die Ohren lang ziehen!", drohte sie mit erhobenem Zeigefinger.

Die Knickerbocker-Bande lachte bei dieser Vorstellung laut.

Su besaß ihren eigenen Bootsanlegeplatz. Ein langer Holzsteg führte vom Strand ins Meer hinaus. An seinem Ende lag ein altes Motorboot vertäut. Früher einmal musste es schnittig und flott gewesen sein. Heute aber hatte es zahlreiche Dellen und Schrammen, die alle mit anderen Farben und Lacken ausgebessert worden waren. „Ich nenne das Boot deshalb auch meine ‚bunte Kuh'", erklärte die

Forscherin. „Aber keine Sorge, die bunte Kuh fährt besser, als sie aussieht."

Geschickt löste Su die Taue, nachdem alle Platz genommen hatten, startete den Motor und lenkte das Boot auf das Meer hinaus. „Die rötliche Insel am Horizont ist unser Ziel. Sie ist näher, als es scheint."

Mit gleichmäßigem Brummen pflügte das Boot durch das Wasser.

„Wie groß können Komodowarane eigentlich werden?", wollte Dominik wissen.

„Ungefähr drei Meter. Das entspricht einem kleinen Auto und ist doppelt so lang, wie ich es bin!" Su schien sich gerne über sich selbst lustig zu machen. „Auf die Waage bringen Komis ungefähr hundert Kilogramm, besonders große Männchen auch hundertfünfzig."

Lilo interessierte vor allem die lange gespaltene Zunge, die ständig aus dem Maul kam und in alle Richtungen züngelte. „Damit nimmt der Komi Gerüche auf", erklärte Su. „Er riecht nicht mit der Nase, sondern mit der Zunge. Mit ihr wittert er zum Beispiel Beutetiere."

„Was fressen Komodowarane?", rief Axel durch den Fahrtwind.

„Alles, was sie erwischen können. Manchmal sogar Artgenossen. Auf der Insel leben zum Beispiel Hirsche, aber auch Wildschweine und Affen. Sie stehen alle auf der Speisekarte der Komis. Wenn ein Komodowaran erst einmal seine Beute erlegt hat, frisst er, so viel er nur in sich reinstopfen kann. Danach schläft er oft eine ganze Woche und verdaut."

Poppi holte tief Luft und fragte: „Und können sie Menschen auch gefährlich werden?"

„Ich dachte, Komodowarane sind nur süß und kuschelig", stichelte Dominik.

„Natürlich sind wir für sie auch nur Beute. Aber wer läuft schon einem Komodowaran direkt vors Maul", antwortete Su und korrigierte den Kurs des Bootes ein bisschen. „Bestien sind sie jedenfalls keine. Sie sind nur nicht sehr wählerisch, was ihr Futter anbelangt."

„Siehst du!" Poppi streckte Dominik die Zunge raus.

Für weitere Erklärungen blieb keine Zeit, da sie bereits die Küste der Insel erreicht hatten. Hinter einem schmalen Sandstrand erhoben sich steile rötliche Felsen.

„Dort müssen wir hinauf", sagte Dr. Linta. „Ich hoffe, ihr seid alle gut zu Fuß."

„Kein Problem", versicherten die vier Knickerbocker-Freunde. Poppi wirkte beunruhigt. „Ich … ich will wirklich nicht wieder als Feigling dastehen. Aber ... sind Sie sicher, dass die Komodowarane auf der anderen Seite der Insel sind?"

Su warf den Kopf nach hinten und lachte laut. „Poppi, ich forsche hier seit sieben Jahren. Ich kenne fast alle Komodowarane beim Namen und weiß genau, dass sie diese Gegend meiden. Es ist hier einfach zu kahl. Sie finden nicht genug Beute. Deshalb bleiben sie lieber im Süden. Beruhigt?"

Poppi starrte auf ihre Schuhspitzen und nickte. Sie schämte sich. Immer fürchtete sie sich vor etwas.

Die Forscherin lenkte das Boot geschickt durch das seichte Gewässer und stellte schließlich den Motor ab. Sie warf einen Anker über Bord und nahm das Ende eines zweiten Seiles. „Das letzte Stück müsst ihr durch das Wasser", sagte sie. „Näher kann ich nicht heran, sonst beschädige ich den Schiffsrumpf."

Die Knickerbocker zogen die Schuhe aus und nahmen sie in die Hand. Sie schwangen sich über Bord und wateten zum Sandstrand, wo sie wieder in die Schuhe schlüpften.

„Ganz schön hoch!", stellte Axel fest, als er zur Spitze des Felsen hinaufsah. Er musste sich eine Hand über die Augen halten, um nicht von der Sonne geblendet zu werden.

„Bitte, alle mir nach und keinen Schritt, den ich nicht erlaube. Es könnte euer letzter sein!", schärfte Su ihren Gästen ein.

„Hört sich wirklich nach einem bequemen Spaziergang an", stellte Dominik trocken fest.

Dr. Linta ging voraus und die Bande folgte ihr. Joe bildete das Schlusslicht. Der Aufstieg war mehr als beschwerlich. Die Knickerbocker mussten sich durch enge Spalten zwängen, über riesige Felsbrocken klettern und bei jedem Schritt genau darauf achten, wohin sie traten. Die Sonne glühte gnadenlos vom blauen Himmel. Immer wieder legte die Gruppe eine kurze Rast ein und genehmigte sich einen großen Schluck aus der Wasserflasche, die Joe bei sich hatte.

Endlich waren sie auf der Spitze des Felsens angelangt. Aus Ästen und Stämmen war dort noch zusätzlich ein kleiner Turm errichtet worden.

„Es kann immer einer von euch mit mir kommen", bot Su an. „Uns alle würde das Ding wohl nicht aushalten."

Lilo durfte den Anfang machen. Über die Leiter, die aus Holzstücken und dicker Schnur gebastelt war, kletterte sie auf den Turm. Su nahm das große Fernglas, das sie mitgebracht hatte, und begann damit die weiten Grasebenen abzusuchen, die vor

ihnen lagen und sich bis zum Südufer der Insel er-
streckten. Zu beiden Seiten erhoben sich sanfte
Hänge, die da und dort bewaldet waren.

Su ließ den Blick in alle Richtungen schweifen. Sie
drehte an der Scharfeinstellung und setzte einige
Male das Fernglas wieder ab.

„Das verstehe ich nicht. Es kann doch nicht
sein …“ Sie brach mitten im Satz ab.

„Was ist?“, wollte Lilo wissen.

EIN UNERWARTETER ANGRIFF

Su schüttelte nachdenklich den Kopf. „Ich sehe keinen einzigen Komi. Das ist mir noch nie passiert. Normalerweise finde ich immer einen, wenn ich hier heraufkomme."

„Vielleicht ist ihnen zu heiß?", fiel Lilo ein.

„Unmöglich. Sie haben keine eigene Körpertemperatur. Deshalb sind sie in der Nacht auch ziemlich steif und unbeweglich. Erst mit der Sonne kommt wieder Leben in sie. Wird ihr Blut erwärmt, werden sie lebendig und begeben sich auf Nahrungssuche", sagte die Forscherin.

Sie warteten noch eine Weile, aber es ließ sich trotzdem in der weiten Grasebene kein Komodowaran blicken.

„Ich verstehe das nicht. Dabei weiden dort am

Horizont gerade Hirsche. Einer der Komis hat doch bestimmt Hunger! Sie können nicht alle satt gefressen sein!", sagte Su und schüttelte ratlos den Kopf.

Die Sonne machte es unmöglich, lange auf dem Felsen zu bleiben. Da kein Waran auftauchte, beschlossen die Knickerbocker, wieder zum Strand abzusteigen.

Dominik stöhnte. Er trug einen Rucksack mit einer teuren Fotokamera auf dem Rücken. Das Gerät war nicht nur gut, sondern leider auch ziemlich schwer. Um schöne Aufnahmen von den Komodowaranen schießen zu können, hatte er von einem Profi-Fotografen ein Teleobjektiv mitbekommen. Es wirkte wie ein Fernrohr und holte selbst weit entfernte Dinge näher heran. „Damit kannst du aus einem Kilometer Entfernung jede Kirsche eines Kirschbaums einzeln knipsen!", hatte der Fotograf Dominik versprochen. „Wieso verstecken sich die lieben Tierchen?", brummte Dominik verärgert. „Jetzt habe ich das schwere Ding völlig umsonst hier heraufgeschleppt."

Der Abstieg war noch beschwerlicher als der Aufstieg. Die vier Freunde mussten sich oft mit den Händen abstützen und schürften sich an den rauen Felsen die Haut auf. Bald tat ihnen alles weh.

Weil Dominik sich mit dem Rucksack nicht durch

eine Felsspalte zwängen konnte, nahm er ihn ab. Gleich hinter der Spalte fiel der Fels auf der linken Seite steil ab, der schmale Pfad, auf dem sie gingen, führte nach rechts weiter.

Ächzend schob sich Dominik durch den engen Durchbruch, den Rucksack in der linken Hand. Er achtete einen Augenblick nicht darauf, wo er hintrat, und schrie erschrocken auf. Der Boden unter seinem linken Schuh gab nach und Dominik kippte zur Seite. Nach Halt suchend fuchtelte er mit den Händen durch die Luft und ließ dabei den Rucksack los. Dieser stürzte in die Tiefe, überschlug sich mehrere Male und rollte über einen Geröllhang hinunter. Am Fuße des Abhangs, wo eine braune Ebene mit einigen saftig grünen Grasbüscheln begann, blieb er liegen.

„So ein Mist!", schimpfte Dominik.

„Die Kamera kannst du wahrscheinlich nur noch als Puzzle verwenden", stellte Axel fest, der hinter ihm ging und alles beobachtet hatte.

„Sie ist in einer stoßfesten Box. Das Teleobjektiv auch. Mit etwas Glück ist gar nichts geschehen", brummte Dominik missmutig. „Aber wie komme ich wieder an die Sachen?"

Su warf einen Blick in die Tiefe und seufzte. „Na ja, du wirst wohl runterklettern müssen. Es gibt einen kleinen Pfad, der gleich hier unten beginnt. Ich habe ihn früher selbst öfters benutzt. Er ist mit weißen Kreuzen am Fels genau markiert."

„Ich mach das!", meldete sich Axel. „Wenn Dominik klettert, warten wir noch nächste Woche."

Ausnahmsweise regte sich Dominik nicht auf. Er war dankbar, dass Axel ihm die Klettertour abnahm.

Von oben beobachteten die anderen, wie ihr Freund sich Stück für Stück nach unten kämpfte. Der Weg führte auf eine Grasfläche, die ungefähr viermal so groß war wie ein Fußballplatz. Auf der einen Seite erhob sich der Fels, auf der anderen erstreckte sich ein grüner Waldstreifen.

„Das ist Regenwald", erklärte Su dem Rest der Bande.

Axel verschwand bald aus dem Blickfeld seiner Freunde. Er musste einen großen Bogen um einen Felsen machen, der wie ein mahnender Zeigefinger aus dem Boden ragte.

Su, die neben Poppi stand, richtete sich erschrocken auf. „Oh mein Gott", stöhnte sie. Ihr Blick war auf eine Baumgruppe geheftet, die sich ungefähr zwanzig Schritte vom Rucksack entfernt befand.

Lilo, Poppi und Dominik folgten ihrem Blick und erschraken genauso. Nur wer genau hinsah, konnte im Schutz der Blätter und Zweige den graugrünen Körper sehen, der dort lag.

Su holte hektisch das Fernglas aus der Tasche und hielt es an die Augen. „Ein riesiges Tier ... auf der Lauer!", flüsterte sie.

„Axel! Nicht weiter! Komm zurück!", brüllten Dominik und Lilo aus Leibeskräften. Poppi stimmte sofort ein. Sie formten mit den Händen Trichter und hielten sie an den Mund, um lauter zu sein.

Ihr Freund tauchte am „Zeigefinger-Felsen" auf und sah zu ihnen hinauf. Er konnte sie nicht gut sehen, da die Sonne über ihnen stand und ihn blendete.

„Komm zurück! Schnell!" Die Knickerbocker fuchtelten hektisch und gaben ihm Zeichen, er solle sofort umdrehen.

„Wieso?", rief Axel hinauf. Seine Stimme hallte von der Felswand, und es hörte sich an, als wäre er in einem hundert Meter tiefen Brunnen.

„Ein Komodowaran, hinter dir!", warnten ihn die anderen.

„Junge, komm ... schnell ... nimm denselben Weg zurück!", rief Su. Ihre Stimme war aber zu leise. Axel konnte sie nicht hören.

Er tippte sich an die Stirn und glaubte seinen Freunden kein Wort. „Ihr wollt mich wohl reinlegen. Sehr witzig. Dominik, du kannst dir deine Fototasche selbst holen!", schnaubte Axel wütend.

Joe schob die Bande und die Forscherin zur Seite. „Axel, das ist kein Witz!", brüllte er, so laut er nur konnte.

„Das sagst ausgerechnet du!", lachte Axel.

Und dann war es zu spät. Hinter ihm kam Bewegung in die tiefen Äste der Büsche. Er hörte ein Knacken, drehte sich um und sah den Komodowaran aus dem Dickicht brechen. Auf den krummen, nach innen gedrehten kurzen Beinen watschelte er direkt auf ihn zu. Da er noch nie einen Menschen gesehen hatte, waren die ersten Schritte etwas zögernd und langsam. Dann aber beschloss er offensichtlich, die Beute zu jagen, bevor sie ihm entwischte. Der Komodowaran rannte los. Sein Gang war plump, doch er erreichte trotzdem eine große Geschwindigkeit.

Axel machte kehrt und lief so schnell wie nie zuvor in seinem Leben. Er war ein großartiger Sprinter und erzielte auf kurzen Strecken Rekordzeiten. Diesmal ging es aber um keinen Preis, sondern um sein Leben.

Überraschend flink bewegte sich die gigantische Echse über den Boden, ohne ihr Opfer aus den Augen zu lassen.

Poppi konnte nicht hinsehen. Lilo biss sich die Lippe blutig und Dominik hatte die Hände vor das Gesicht geschlagen. Joe und Su standen mit offenem Mund da und starrten mit weit aufgerissenen Augen in die Tiefe.

Zwischen Axel und dem Komodowaran waren höchstens zwanzig Meter Abstand. Und von Sekunde zu Sekunde verringerte er sich. Der Waran holte rasend schnell auf.

Axels Schuhe flogen über den ausgetrockneten Boden, der an mehreren Stellen tiefe Risse hatte. Ohne sich umzublicken, rannte der Knickerbocker über die Ebene, immer weiter weg von dem Felsen, auf dem seine Freunde standen und zitterten.

Der Komodowaran gab beim Rennen weder ein Zischen noch ein Fauchen oder Keuchen von sich. Axel hörte nur das Klopfen seiner schweren Schritte. Als der Junge endlich einen Blick über die Schulter wagte, durchzuckte ihn der Schreck wie ein Blitz.

Der Abstand hatte sich auf nur noch zehn Meter verringert. Der Komodowaran riss schon das Maul weit auf, bereit die rasierklingenscharfen Zähne in die Beute zu schlagen.

Wie von selbst rannten Axels Beine weiter. Der Schreck raubte ihm aber viel Kraft und er spürte, dass er langsamer und langsamer wurde.

„Bitte nicht!", flehte Lilo leise. „Bitte nicht!" Sie schlang den Arm um Poppi, die zusammengekrümmt auf dem Boden hockte.

Aus dem offenen Maul des Komodowarans kam ein gieriges Grunzen. Axel verlor die Orientierung, taumelte zur Seite, blieb mit der Schuhspitze in einer Erdspalte hängen und stolperte.

„Er hat verloren", hörte Lilo Su mit heiserer Stimme sagen.

DER KAMPF

Die Zeit schien stillzustehen. Lilo, Poppi und Dominik nahmen nichts mehr wahr. Wie erstarrt hockten sie da und wollten von der Wirklichkeit nichts mehr sehen oder hören.

„Aber ... Su, sieh doch!", rief Joe.

Die Forscherin hatte die Augen zusammengekniffen und wollte gar nicht sehen, was sich unten in der Ebene tat. Joe rüttelte sie am Arm und deutete aufgeregt in die Tiefe.

Axel war es gelungen, seinen Schuh aus der Erdspalte zu reißen und weiterzutaumeln. Er fand das Gleichgewicht aber nicht wieder und stürzte bäuchlings. Der Komodowaran hatte ihn eingeholt. Axel hatte keine Chance mehr. Er rechnete jede Sekunde damit, die Krallen der Riesenechse zu spüren.

Doch der Schmerz blieb aus. Hinter ihm splitterte Holz, der Waran gab einen wütenden zischenden Laut von sich. Ein lautes Krachen wie bei einem Autozusammenstoß war zu hören.

Mit einer schnellen Bewegung wirbelte Axel herum. Hinter ihm spielte sich ein grässliches Spektakel ab. Aus einer Baumgruppe war ein zweiter Komodowaran gekommen und hatte Axels Verfolger angegriffen. Die beiden Echsen kämpften erbittert.

Axel stand auf. Die Echsen keine Sekunde aus den Augen lassend, bewegte er sich rückwärts immer weiter von ihnen weg. Mechanisch nahm er Dominiks Fototasche auf, die auf seinem Weg lag, und hängte sie sich um. Mit angehaltenem Atem verfolgten Su, Joe und Axels Freunde, was unten im Tal vor sich ging. Keiner wagte zu rufen, sie fürchteten, die Komodowarane dadurch vielleicht auf den flüchtenden Axel aufmerksam zu machen.

Er hatte fast den Felspfad erreicht, als die Riesenechsen ihren Kampf unterbrachen. Der Waran, der Jagd auf Axel gemacht hatte, sah sich suchend um. Sofort hatte er Axel ausfindig gemacht und stürmte mit eckigen schweren Schritten auf ihn zu. Wo er den Boden berührte, stiegen Staubwolken auf.

„Schneller!", feuerte Lilo ihren Freund an.

Axel geriet in Panik, versuchte an den Felsen

hochzuklettern, rutschte aber nach einem Stück wieder ab und stürzte zurück.

Der Komodowaran kam näher. In seinen dunklen Augen funkelte wilde Entschlossenheit. Diesmal würde er die Beute nicht entkommen lassen. An seiner Seite klafften tiefe Wunden, die ihm sein Artgenosse zugefügt hatte.

Auf einmal konnte sich Axel nicht mehr bewegen. Seine Beine waren wie gelähmt, seine Hände klammerten sich an Steinen fest und ließen sich nicht mehr lösen. Er stand nur da und wartete.

„Nicht, Axel, weiter!", brüllten alle.

Wie ein grauer Schatten glitt etwas über die ausgetrocknete Erde auf den angreifenden Waran zu. Es war sein Gegner, der ihm die Beute wohl hatte abnehmen wollen. Die zweite Echse war sehr viel schneller, hatte die andere bald eingeholt und der Kampf begann erneut. Mit einem Blick nach hinten erkannte Axel, was los war. Der Krampf in seinem Körper löste sich, und er schaffte es Fuß vor Fuß zu setzen.

Aus dem Wald tauchten noch zwei Komodowarane auf.

„Der eine hat verloren ... die anderen ... sie werden ihn fressen", sagte Su leise. Die Knickerbocker beugten sich zurück. Das wollten sie nicht sehen.

Ein Knirschen kündigte Axel an. Völlig zer-
schrammt und schweißüberströmt torkelte er auf
seine Freunde zu. Lilo und Poppi fingen ihn auf.
Dominik nahm ihm die Tasche ab und Joe setzte
ihm sofort die Wasserflasche an den Mund.

„Alles in Ordnung?", erkundigte sich Su besorgt.

Axel antwortete nicht. Er hatte Mühe, genug Luft
zu bekommen. Als er endlich wieder langsamer

atmen konnte, funkelte er die Forscherin wütend an. „Keine Gefahr! Alle Warane am anderen Ende der Insel! Sie wollten mich wohl absichtlich den Biestern vor das Maul jagen!", tobte er. Seine Stimme war völlig rau.

„Nein! Wie kommst du auf einen solchen Unsinn? Das kannst du doch nicht im Ernst meinen!", verteidigte sich Su empört.

„Dann verraten Sie mir, wieso es dort unten von Waranen nur so wimmelt!", verlangte Axel zu erfahren. Auf die Antwort war auch der Rest der Bande gespannt.

Su überlegte kurz. „Es ist vielleicht wahr … dann wäre das eine Erklärung."

„Sie haben vorhin am Telefon etwas erfahren. Was war das?", wollte Lilo wissen.

Dr. Linta presste die Lippen zusammen. „Damit hat das gar nichts zu tun", sagte sie spitz. „Wanderungen kommen bei allen Tieren vor. Auch bei Komodowaranen. Und jetzt müssen wir schnellstens zurück. Ich möchte, dass euer Freund zu einem Arzt gebracht wird. An einer Blutvergiftung will ich nicht schuld sein."

Während der Fahrt im Boot sagte keiner etwas. Axel war erschöpft eingeschlafen, die anderen starrten auf das Meer hinaus. Immer wieder drehte sich

Poppi zur Insel um, die kleiner und kleiner wurde. Dominik bemerkte ihren Blick und sagte: „Ich möchte dort nie wieder hin."

„Ich auch nicht!", pflichtete ihm Poppi bei.

Doch es sollte anders kommen.

Beim Arzt musste Axel etwas über sich ergehen lassen, das für ihn schlimmer war als die Verfolgung durch die Komodowarane: Er bekam eine Tetanusspritze, und vor Spritzen hatte er so schreckliche Angst.

Danach brachte Joe die Knickerbocker-Bande in das kleine Hotel, wo er mit den vieren wohnte. Wie immer teilten sich Lilo und Poppi ein Zimmer, Axel und Dominik waren gleich nebenan untergebracht.

„Ich bin in einer Stunde zurück. Muss nur kurz zum Haus von Mister Krok", entschuldigte sich Joe.

Lilo runzelte verwundert die Stirn. „Ich dachte, es sei unbewohnt."

„Ist es auch. Aber ich bin der Hausverwalter und muss ein wachsames Auge darauf werfen. Also gehe ich fast jeden Tag durch alle Zimmer und lüfte ein bisschen."

„Können wir mitkommen?", fragte Dominik.

Joe schüttelte den Kopf. „Nein, das wäre Mister Krok bestimmt nicht recht."

„Aber er würde es doch nie erfahren. Wir werden auch nicht die Tapete mit Filzstiften beschmieren", versprach Axel scherzhaft. Trotzdem winkte Joe ab.

Die Bande setzte sich hinter das Hotel in ein offenes Gartenhäuschen. Ein sehr freundliches Mädchen brachte ihnen Wasser und Cola. Der Abend brach bereits an und die Dunkelheit kam viel schneller als daheim.

„Geht's wieder halbwegs?", erkundigte sich Lilo bei Axel.

„Na ja, mein Bedarf am Komodowaranen ist im Augenblick gedeckt. Ich hoffe, die netten Tierchen verfolgen mich nicht auch noch durch alle Albträume."

Dominik putzte lange und gründlich seine Brille. „Wieso behauptet Su, es gäbe keine Komodowarane rund um den Aussichtsfelsen, wenn dann doch welche auftauchen?", überlegte er laut.

„Gute Frage, ich habe sie mir auch schon einige Male gestellt!", sagte Lilo.

Poppi meldete sich aufgeregt zu Wort. „Erinnert ihr euch nicht an das Telefonat, das sie geführt hat? Da hat sie doch so etwas gesagt wie ‚das wäre eine Sensation. Aber es hat Auswirkungen auf die Komis'. Der Vergleich klingt vielleicht komisch, aber wenn in einem Waldstück etwas Ungewöhnliches geschieht, dann wandern die Rehe und Hirsche ab und ziehen sich in einen anderen Teil des Waldes zurück."

Dominik nickte zustimmend. „Kein schlechter Gedanke. Auf der Südseite der Insel hat sich etwas ereignet. Deshalb sind die Komodowarane auf die Nordseite gekommen. Übrigens …", er zog aus der Brusttasche seines Hemds Kugelschreiber und Mini-Notizblock und kritzelte etwas darauf, „… die Telefonnummer, die ich mir für dich merken sollte." Er reichte Lilo den Zettel.

Lilo bedankte sich. „Vielleicht bekommen wir dort die Information, die uns weiterhelfen kann." Sie ging sofort ins Hotel um zu telefonieren.

„Tut mir Leid, aber unser Telefon ist zurzeit gestört. Morgen sollte es wieder funktionieren", sagte das freundliche Mädchen entschuldigend.

Lilo musste sich also noch gedulden, und das gefiel ihr ganz und gar nicht.

DIE FALLENDEN LICHTER

Das Abendessen fand auf der Dachterrasse des Ho-
tels statt. Die Knickerbocker-Freunde mochten die-
sen Platz sehr. Von hier oben konnten sie bis zum
Meer gucken, wo sich das Licht des Mondes auf den
Wellen spiegelte. Es sah aus, als hätte jemand einen
Eimer Silberfarbe verschüttet.

Auf der anderen Seite waren die Lichter einer
kleinen Stadt zu erkennen. Entlang der schmalen
Straße, die vom Hotel zur Stadt führte, war eine
Lampenkette gespannt, die sich wie ein leuchtender
Wurm durch die nächtliche Landschaft zog.

Der Himmel war klar. Die Bande sah so viele
Sterne wie nie zuvor im Leben.

„Was bist du eigentlich von Beruf?", wollte Poppi
nach dem Essen von Joe wissen.

„Na ja, das ist schwierig zu sagen", begann Joe. Er nahm seine uralte Kappe ab und rieb sich die Glatze, die darunter zum Vorschein kam. „Eigentlich bin ich Fremdenführer. Aber ich passe auch auf das Haus von Mister Krok auf. Tu mal dies und mal jenes."

Dominik zog einen aufklappbaren Mini-Computer heraus, öffnete und startete ihn. „Wir sollten beginnen unseren Artikel zu schreiben. Noch sind uns alle Erinnerungen frisch im Gedächtnis."

Axel äffte ihn hinter seinem Rücken nach. Dominik bemerkte es, regte sich aber nicht auf. „Nun ja, ich weiß, wie vergesslich du bist, Axel. Deshalb die Eile."

„Grrrrrr!", knurrte Axel scherzhaft. „Dann tipp mal schön. Meine Begegnung mit dem Komodowaran muss natürlich unbedingt vorkommen."

Joe erhob sich leicht aus seinem Sitz. „Äh … ich wäre euch dankbar, wenn ihr nichts darüber schreibt."

Poppi sah ihn überrascht an. „Wieso? Das ist doch ein Hammer."

„Schon, aber ich hätte nie zulassen dürfen, dass Axel in dieses Tal klettert. Wenn die Leute von der Zeitung das lesen, bezahlen sie mir bestimmt mein Honorar nicht. Sie haben mir mindestens dreihun-

dert Mal eingeschärft, ich solle gut auf euch aufpassen!"

„Na ja, aber ohne diesen Bericht wird unser Artikel langweilig", seufzte Dominik. „Wir haben auch
noch nicht genug Information gesammelt. Su war
nicht sehr ergiebig."

„Wir besuchen sie noch einmal", versprach Joe.
„Dann wird sie bestimmt mehr erzählen. Aber jetzt
möchte ich endlich von euch erfahren, was ihr
schon alles erlebt habt. Seid ihr wirklich Junior-
Detektive?"

Stolz begannen die vier zu erzählen, wie viele
Fälle sie schon gelöst hatten. Während die anderen
redeten, dachte Lilo: Und was hier nicht stimmt,
das finden wir auch noch heraus.

Die Nacht war nicht viel kühler als der Tag. Unru-
hig wälzten sich die Knickerbocker auf ihren Betten.
Immer wieder tauchten Komodowarane in ihren
Träumen auf.

Schweißgebadet und keuchend schreckte Dominik in die Höhe. Schuld daran war kein Albtraum,
sondern sein Computer. Ihm war eingefallen, dass
er ihn oben auf dem Dach vergessen hatte. Er
schlüpfte aus dem Bett und verließ das Zimmer, um
ihn zu holen.

Der Gang und das Treppenhaus waren nur schwach beleuchtet. Barfuß tappte Dominik über den kühlen Stein und huschte nach oben.

Eine milde Brise strich über die Insel. Auf dem Esstisch brannte noch immer eine Kerze. Dominik hatte den Computer schnell gefunden und drückte ihn glücklich an sich. Er war sehr stolz auf das kleine Ding, das so viel konnte und nicht gerade billig gewesen war.

Auf der Dachterrasse war es kühler und angenehmer als in den Zimmern. Deshalb blieb Dominik noch ein bisschen stehen und atmete tief durch. Die Müdigkeit überkam ihn wieder. Er ließ sich auf einen Stuhl sinken und legte die Beine auf den Tisch. Sekunden später war er eingeschlafen.

Irgendwann in der Nacht wurde er wach. Etwas Kühles strich immer wieder über seinen nackten Arm. Dominik sah sich erschrocken um. Die Kerze war fast ganz heruntergebrannt.

Erleichtert atmete er auf. Das „Kühle" war ein Zipfel des Tischtuches, der im Wind flatterte. Gähnend erhob er sich und wankte auf die offene Tür des Treppenhauses zu. Er wollte in sein Bett. Das Schlafen auf dem Stuhl war nicht das Wahre. Seine Beine waren gefühllos, seine Arme ganz steif.

Ein leises Brummen ließ ihn zum Himmel blicken. Er sah rote blinkende Lichter über sich. Ein Flugzeug glitt in nicht allzu großer Höhe über seinen Kopf hinweg.

Dominik öffnete den Computer, schaltete ihn ein und sah auf die eingebaute Uhr. Es war halb drei Uhr morgens. Wieso flog um diese Zeit ein Flugzeug über die Insel? Die geringe Höhe konnte nur bedeuten, dass es entweder gerade gestartet war oder bald landen würde.

Die Lichter machten es einfach, das Flugzeug im Auge zu behalten. Es glitt hinaus auf das Meer, wo sich die Inseln befanden. Dominik spürte, wie die Aufregung durch seine Arme und Beine kribbelte. Das Flugzeug begann über einem Punkt draußen auf dem Meer Kreise zu ziehen. Zuerst waren sie sehr groß, nach und nach wurden sie immer enger.

Täuschte er sich, oder kreiste das Flugzeug genau über der Komodowaran-Insel, auf der sie am Nachmittag gewesen waren?

Ihm fiel seine Fototasche ein. Das Teleobjektiv der Kamera funktionierte besser als jedes Fernrohr. Er wollte es holen und versuchen das Flugzeug genauer zu sehen. Er spürte, dass diese Beobachtung wichtig sein könnte.

Zurück im Zimmer rüttelte er Axel am Arm. Aber wahrscheinlich hätte er eher ein Murmeltier im tiefsten Winter wecken können als seinen Freund. Axel grummelte nur unwillig, drehte sich dann weg und schlief weiter. Es blieb keine Zeit, die Mädchen aus dem Bett zu holen. Vielleicht war das Flugzeug dann schon wieder fort. Dominik schulterte die Tasche und hastete zurück auf die Dachterrasse.

Die roten und weißen Lichter kreisten noch immer, nun aber bereits sehr knapp über der Wasseroberfläche oder über der Insel. Das Flugzeug wollte also landen.

Mit zitternden Fingern steckte Dominik das lange dicke Objektiv auf die Kamera. Er musste den Apparat auf dem Tisch abstützen, weil er sonst zu stark gewackelt hätte. Endlich gelang es ihm, das Flugzeug in den Sucher zu bekommen.

„Eine kleine Maschine … einmotorig", murmelte er. Er drückte ein paar Mal auf den Auslöser, aber es war zu dunkel. Man würde auf den Bildern nichts erkennen.

Dominik beobachtete weiter. Er rechnete jede Sekunde mit der Landung der Maschine.

Doch etwas ganz anderes geschah. Aus der Maschine fielen grell leuchtende Punkte und bewegten sich mit rasender Geschwindigkeit auf die Erde zu. Es schien sich um eine Art Fackeln zu handeln. Sie hinterließen eine dicke Rauchfahne. Wie Sternschnuppen fielen sie über den dunklen Himmel und verschwanden am Horizont. Dominik zählte neun Lichtpunkte. Danach drehte die Maschine ab, glitt über ihn hinweg und verschwand hinter einem Hügel.

Was hatten die Lichter zu bedeuten?

WAS GESCHAH
IM PYRAMIDENHAUS?

„Wieso hast du uns nicht geweckt?", fragte Axel am nächsten Morgen empört.

„Weil du geschnarcht hast wie ein Sägewerk und im Halbkoma gelegen hast!", brummte Dominik.

„Ich? Geschnarcht? Bestimmt nicht!", wehrte Axel ab.

„Egal, vergiss es. Hauptsache, Dominik hat alles beobachtet", unterbrach Lilo den Streit der Jungen. „Fest steht, ein Flugzeug hat etwas zu genau der Insel gebracht, auf der so seltsame Dinge passieren. Poppis Verdacht von gestern könnte stimmen: Auf der Südseite ist etwas im Gange. Deshalb sind die Komodowarane gewandert."

Poppi lächelte stolz. Meistens fand sie nämlich die anderen viel schlauer und besser als sich selbst.

„Das Flugzeug hat bestimmt Leute zur Insel gebracht!", stand für Axel fest. „Sie sind mit dem Fallschirm abgesprungen und haben Magnesium-fackeln in der Hand gehalten. Diese Fackeln geben ein besonders helles Licht und gehen auch bei Sturmstärke 10 nicht aus."

Dominik verschränkte die Arme vor der Brust. „Ach, was bist du doch klug!"

„Was willst du damit sagen?", knurrte Axel dro-hend.

„Falls wirklich Fallschirmspringer aus dem Flie-ger gehüpft sind, so tun sie mir Leid. Die Maschine hat sich höchstens fünfzig Meter über dem Boden befunden. Niemand kann einen Sprung aus so ge-ringer Höhe überleben."

Dominik hatte natürlich Recht. Axel ärgerte sich, dass er das nicht bedacht hatte.

„Und, was hatten die Lichter sonst zu bedeuten?", fragte er bissig.

Lilo hatte eine Erklärung: „Es sind vielleicht Kof-fer oder Kisten abgeworfen worden. An ihnen wa-ren die Fackeln befestigt, damit die Sachen schnell gefunden werden konnten."

„Aber die Insel ist doch unbewohnt, hat Su ge-sagt!", rief Poppi. „Wieso werden dann Kisten abge-worfen?"

Dominik sah nur einen möglichen Grund: „Es hält sich doch jemand auf der Insel auf. Die große Frage lautet dann aber: Warum lässt sich der große Unbekannte mitten in der Nacht Sachen bringen?"

„Ist doch logisch", sagte Axel. „Damit es niemand bemerkt."

Lilo lächelte triumphierend. „Wie ich es mir gedacht habe, auf der Insel stimmt etwas nicht. Wir müssen dringend noch einmal mit Su reden."

„Warum wollt ihr schon wieder zu Dr. Linta?" Joes Haltung ließ keinen Zweifel daran, dass er wenig Lust hatte, noch einmal zu der Komodowaran-Forscherin zu fahren.

„Weil auf der Insel etwas nicht stimmt und sie es unbedingt erfahren muss. Es geht schließlich um die Tiere, die sie beobachtet", erklärte Lilo.

„Gestern hat mir Su Linta unmissverständlich zu verstehen gegeben, dass sie euch nicht mehr sehen möchte!", sagte Joe. „Ich kenne sie nur ein bisschen, aber ich weiß, wie ungemütlich sie werden kann. Die kleine Person kann sich in ein wahres Monster verwandeln. Deshalb trägt sie hier bei uns auch den Spitznamen Godzilla."

Die drei Freunde trauten Dr. Linta das zu, trotzdem wollten sie sich in die Höhle des Löwen wagen.

„Na gut, aber ich komme nicht mit", stimmte Joe schließlich zu. Er fuhr die Bande zur Küste hinunter und setzte sie ein Stück vor dem pyramidenförmigen Haus ab. „Ich warte hier. Es wird sicher nicht lange dauern. Sie wirft euch hochkantig raus, ich habe euch gewarnt."

Ganz wohl war Poppi, Lilo, Axel und Dominik nicht, als sie auf das ungewöhnliche Haus zugingen.

Poppi deutete auf die schmalen Beete, die sich am Weg entlangzogen. Die Blumen waren alle geknickt, zum Teil sogar niedergetrampelt. „Wer war das denn?"

Lilo zuckte mit den Schultern. „Keine Ahnung."

Axel schnitt eine wilde Grimasse und spreizte die Finger wie lange Krallen weg. „Das war der Feuer speiende Komodowaran, der hier sein Unwesen treibt", brummte er mit verstellter Stimme. „Es gibt nur einen, aber der ist fünfmal so groß wie die anderen, und wo er hintritt, wächst kein Gras mehr." In diesem Augenblick stolperte Axel über einen Stein und landete auf dem Boden.

Seine Freunde konnten sich das Lachen nicht verkneifen.

„Statt Schauermärchen zu erzählen, solltest du besser auf den Weg achten!", riet ihm Dominik.

„Ja, Herr Oberlehrer!", knurrte Axel.

Lilo klopfte an die Tür und trat dann wieder zurück. Sie wartete am Fuß der kleinen Treppe mit den anderen. Wenn Dr. Linta wirklich so schlecht auf sie zu sprechen war, wollte sie nicht den ganzen Zorn abbekommen.

Doch die Forscherin öffnete nicht.

Axel unternahm den nächsten Versuch, der aber genauso erfolglos blieb.

„Sie ist nicht da!", stellte Dominik fest.

„Ihr Boot liegt aber am Steg!", meldete Poppi.

Lilo wollte noch ein letztes Mal klopfen. Als sie zur Tür trat, stutzte sie. Sie war nicht abgeschlossen. Sie stand sogar einen winzigen Spalt offen. Die Angeln schienen eingerostet, und deshalb war sie nicht weiter aufgegangen.

„Seht euch das mal an!" Lilo deutete auf die offene Tür und hob verwundert die Schultern. Axel drängte sich an ihr vorbei und drückte die Tür weiter auf. Neugierig blickten die vier in den großen düsteren Raum.

„Frau Linta, hallo? Sind Sie zu Hause?", rief Dominik.

Er bekam keine Antwort.

„Da ist etwas geschehen", murmelte Lilo. Die wuchtigen Baumstamm-Möbelstücke waren alle verschoben. Lilo erinnerte sich aber, dass bei ihrem ersten Besuch alle Möbel besonders gerade gestanden hatten. Frau Linta schien großen Wert auf Ordnung und Genauigkeit zu legen.

„Das Telefon!" Dominik zeigte auf den Apparat, der auf dem Boden lag. Jemand schien ihn von dem kleinen Hocker geworfen zu haben. Der Hörer war zerbrochen. Lilo beugte sich darüber, um ihn genauer anzusehen und schluckte. „Da ist ... der Abdruck einer Sohle drauf. Jemand ist auf den Hörer getreten. Muss ein ziemlich schwerer Typ gewesen sein."

Axel hatte ebenfalls eine schlimme Entdeckung gemacht. Er klopfte mit dem Finger auf zwei kleine schwarze Löcher in der Wand. „Das ... das könnten Einschüsse sein."

„Was war hier los?", überlegte Lilo laut.

Dominik fiel ein, dass Su Linta die Tür ihres Hauses zweifach abgeschlossen hatte, als sie mit ihnen auf die Insel gefahren war. Heute aber war die Tür offen.

„Dann ist sie hier nicht freiwillig gegangen", stand für Lilo fest. „Kommt, wir müssen das Joe erzählen und sofort zur Polizei. Hier ist etwas Schreckliches geschehen."

Auf einmal wurde es dunkler im Raum. Erschrocken drehten sie sich um. Im Türrahmen stand ein

bulliger Mann. Sein Gesicht war stark gerötet und er schwitzte heftig.

„Was habt ihr hier zu suchen?", fragte er drohend. Er trat ein und drückte hinter sich mit seinem breiten Rücken die Tür zu. Damit hatte er den einzigen Fluchtweg abgeschnitten.

JOE,
DER AUSSERIRDISCHE

Axel, Lilo, Poppi und Dominik drängten sich zusammen und versuchten sich ihre Angst nicht anmerken zu lassen.

„Wir … also wir haben gestern mit Dr. Linta gesprochen", platzte Dominik heraus, weil ihn das Schweigen fertig machte. Lilo versetzte ihm einen heftigen Stoß in die Rippen. Sie hatten keine Ahnung, wer der Typ war, und behielten deshalb auch besser alles, was sie wussten, für sich.

Der Blick des Mannes fiel auf das zertretene Telefon. Sofort zog sich eine dicke Falte über seine Stirn. Er starrte die Knickerbocker entsetzt an. „Wart ihr das?"

Dominik hob abwehrend die Hände. „Nein, was denken Sie von uns?"

Lilo fasste Mut und fragte: „Wer sind Sie eigentlich und was wollen Sie hier?"

Der Mann sah sich im Raum um und antwortete: „Ich bin zufälligerweise ein sehr guter Freund von Dr. Linta und bin erst vor einer halben Stunde angekommen. Eigentlich sollte sie mich vom Flugplatz abholen. Da sie nicht da war, bin ich mit einem Taxi gekommen. Ich dachte, sie sei auf der Insel bei ihren Komis."

Er stutzte. „Aber jetzt habe ich den Eindruck, ihr habt sie überfallen und ausgeraubt. Wahrscheinlich liegt sie irgendwo gefesselt in einem der oberen Räume. Los, raus mit der Sprache!" Er machte einen schnellen Schritt auf Axel zu und packte ihn am T-Shirt.

„Das … das stimmt nicht. Sie reimen sich da etwas zusammen!", rief Lilo und überlegte, wie sie Axel helfen konnte. Sus Freund hatte mehr Kraft als sie alle vier zusammen.

„Augenblick, Sie könnten Recht haben!", erklärte Dominik altklug. Seine Freunde sahen ihn entsetzt an. Wovon redete er? War er verrückt geworden? Dominik spürte die aufgebrachten Blicke und sagte schnell: „Ich meine, Ihr Verdacht, dass Dr. Linta einem Überfall zum Opfer gefallen ist, könnte sich als richtig erweisen. Allerdings kommen wir als

Täter nicht in Frage. Sie können sich gerne bei Joe erkundigen. Er ist unser Betreuer und wartet unten an der Küste im Wagen."

„Wagen? Dort unten steht kein Wagen!", polterte der Mann.

„Was?" Die Knickerbocker-Bande traute ihren Ohren nicht.

Er ließ Axel endlich los und stieß ihn zurück. „Ich möchte endlich erfahren, wer ihr seid!", sagte er. Seine Stimme ließ keinen Zweifel daran, dass er zum letzten Mal fragte.

Lilo begann ihm zu erzählen, warum sie auf die Insel Komodo gekommen waren. Sie berichtete von dem Ausflug mit Dr. Linta zur kleinen Insel und von den Dingen, die sie dort erlebt hatten.

„Ach, ihr seid das. Su hat gestern Abend von euch gesprochen. Ihr sollt ziemlich neugierig sein und an Türen lauschen!" Der Mann verschränkte die dicken Arme vor der Brust.

„Dann sind Sie vielleicht derjenige, der ihr von einer Sensation auf der Komodowaran-Insel berichtet hat!", rief Lilo aus.

Sofort verfinsterte sich das Gesicht des Mannes wieder. „Raus, verschwindet! Ich will euch hier nicht mehr sehen!", fuhr er sie an und deutete auf die offene Tür. Die Knickerbocker ließen sich das nicht zweimal sagen und zogen so schnell wie möglich ab. Um den Mann machten sie dabei einen kleinen Bogen.

Hinter ihnen wurde mit Kraft die klemmende Tür zugedrückt. „Su? Bist du da? Su? Ich bin es, Leon!", hörten sie den Mann im Haus rufen. „Ich habe die lästigen Kinder rausgeworfen!"

„Lästige Kinder!" Axel schnaubte verächtlich. Wie konnte sie jemand nur so nennen!

„Da ist etwas geschehen. Darauf wette ich", sagte Lilo.

„Joe ist wirklich nicht mehr da!", meldete Poppi aufgeregt.

„Was soll denn das schon wieder?", murmelte Lilo. Sie ging kopfschüttelnd auf die Stelle zu, an der der Wagen abgestellt gewesen war. Im Gras neben dem Schotterweg waren noch deutlich die Spuren der Reifen zu erkennen. Sie endeten nach ein paar Metern.

„Häää?" Axel nahm seine Kappe ab und kratzte sich am Kopf. Ein Zeichen dafür, dass er ratlos war. „Das gibt's doch nicht. Der Wagen kann sich nicht in Luft aufgelöst haben. Oder?"

„Sieht aus, als wäre er abgehoben!", stellte Dominik mit Kennerblick fest.

„Klar! Joe ist nämlich in Wirklichkeit ein Außerirdischer und sein alter Jeep ist ein UFO. Er ist einfach abgehoben und abgedüst!", spottete Poppi.

Dominik konnte es nicht leiden, wenn man sich über ihn lustig machte. „Darf ich dich um eine bessere Erklärung bitten!", sagte er sauer.

Poppi zuckte mit den Schultern. „Ist doch klar. Joe hat den Wagen zurückgeschoben. Schaut euch die Spur genauer an. Es liegt eine zweite darüber, die ein kleines Stück verschoben ist. Er wollte uns wieder reinlegen."

Der Rest der Bande war platt. Keiner von ihnen hätte Poppi diesen Durchblick zugetraut.

„Du hast Recht", sagte Lilo. „Er hat das Lenkrad nicht bewegt und ist deshalb auf der gleichen Spur wieder vom Rand auf die Straße gefahren. Auf dem Schotter sehen wir natürlich die Spur nicht. Joe versucht wieder besonders witzig zu sein."

„Ha-ha-ha!", knurrte Axel. „Der Typ scheint jede Nacht in der Witzkiste zu schlafen."

Die Straße machte schon nach etwa hundert Metern eine scharfe Biegung. Dahinter hupte es nun und Joes Jeep kam zum Vorschein. Joe beugte sich aus dem Fenster und rief: „Ihr könnt die Nachforschungen einstellen. Ich bin nicht weggeflogen. Das habt ihr doch sicher geglaubt!"

Die Knickerbocker setzten besonders gelangweilte Gesichter auf und verschränkten die Arme vor der Brust. So gingen sie langsam auf den Wagen zu.

„Äh ... habt euch nicht so. Ihr werdet doch einen kleinen Spaß verstehen." Joe lachte künstlich.

Axel pflanzte sich vor ihm auf und sagte mit ernster Miene: „Keine schwachen Scherze mehr, klar?"

Joe grinste gequält. „Okay, nur noch starke."

Hinter der Bande tauchte Leon, Su Lintas Freund, auf. Er kam mit großen Schritten auf sie zu. „Ich ... ich muss zur Polizei. Sie ist weg. Aber sie hat das Haus nicht so verlassen, wie sie das üblicherweise tut. Su ist sehr ordentlich. Ich wollte telefonieren, aber das Telefon ist kaputt. Können Sie mich mitnehmen?"

„Na ja, es wird eng werden, aber schließlich handelt es sich um einen Notfall", stimmte Joe zu.

Die Knickerbocker-Bande hätte zu gerne gewusst, was die Polizei zu Sus Verschwinden sagte. Aber sie durften nicht mit auf die Station gehen.

„Für heute steht ein Besuch des Museums auf dem Programm", kündigte Joe an.

„Von mir aus", seufzte Lilo, „aber vorher wollen wir unbedingt zum Flugplatz."

„Wieso? Möchtet ihr heimfliegen?", fragte Joe erschrocken. „Ihr wisst doch, ich bekomme dann

Schwierigkeiten und werde bestimmt nicht bezahlt!"

„Kannst dich abregen", beruhigte ihn Lilo. „Wir
wollen uns nur ein bisschen umsehen."

LAUTER LÜGEN

Der Flugplatz bestand aus zwei Teilen. Der größere Teil war den Verkehrsmaschinen vorbehalten, die Reisende aus aller Welt brachten. Daneben befand sich ein kleineres Gebäude mit ausladendem Holzdach, der Terminal für Privatmaschinen. Dort wollten die vier Freunde hin.

Joe parkte den Wagen und machte sich bereit, die vier zu begleiten. „Wir schaffen das schon allein", sagte Lilo. Sie wollte Joe nicht einweihen. Seine ständigen Scherzchen hatten ihre Sympathie für den Fremdenführer nicht gerade gesteigert.

Der Terminal bestand nur aus einem riesigen Dach auf Säulen. Hinter einem Schalter saß ein grauhaariger Mann und blätterte in einer Zeitung. Ein Ventilator sorgte für ein bisschen Kühlung.

Lilo sprach den Mann auf Englisch an. Er senkte die Zeitung und blickte sie überrascht an. „Was kann ich für euch tun?", erkundigte er sich höflich.

„Äh … wir … wir wollten gerne die Flugzeuge ansehen, dürfen wir?"

Der Mann deutete hinter sich, wo eine asphaltierte Piste begann. In einiger Entfernung vom Flughafengebäude waren vier kleine Maschinen abgestellt. Zwei waren so winzig, dass sie höchstens für zwei Personen ohne Gepäck Platz hatten. Die dritte schien etwas größer, doch es fehlte ihr der Propeller. Sie wurde wahrscheinlich gerade repariert. Die vierte war die größte. Axel zählte an der Seite drei kleine ovale Luken und entdeckte eine große Ladeklappe. Falls eine der vier Maschinen die war, die Dominik in der Nacht beobachtet hatte, konnte es nur diese gewesen sein.

Die anderen hatten die gleichen Überlegungen angestellt. Fast gleichzeitig deuteten die Freunde auf dieselbe Maschine.

„Ist dieses Flugzeug gestern Nacht unterwegs gewesen?", erkundigte sich Lilo.

Der Mann warf ihr über den Rand seiner Brille einen erstaunten Blick zu. „Was soll diese Frage? Du hörst dich an, als kämest du von der Polizei."

Lilo lachte. „Komme ich nicht. Es ist nur so eine

Frage. Einer meiner Freunde hat in der Nacht ein Flugzeug gesehen, und wir haben gewettet, wie es genau aussieht. Es war doch diese Maschine, nicht wahr?"

„Eine Wette!" Der Mann schüttelte den Kopf und tippte etwas auf einer Computer-Tastatur. Er warf einen Blick auf den Monitor und nickte. „Wer hat die Wette gewonnen, wenn ich Ja sage?"

Lilo hob die Hand. „Ich!" Sie schenkte dem Mann ihr strahlendstes Lächeln.

„Gratuliere. Es war das Lufttaxi!"

„Lufttaxi?" Poppi war neben ihre Freundin getreten und hatte nur den letzten Satz aufgeschnappt.

„Ja, es ist ein Flugzeug, das stundenweise gemietet werden kann", erklärte der Mann.

Axel war neben den Mädchen aufgetaucht und fragte neugierig: „Was könnte das Flugzeug zu einer der kleinen Inseln gebracht und abgeworfen haben?"

Der Mann verzog ungläubig das Gesicht. „Was redest du da? Abgeworfen? Also davon weiß ich nichts."

„Es war aber so! Ich habe es mit meinen eigenen Augen gesehen!", bekräftigte Dominik.

„Schluss jetzt!" Der Mann scheuchte die vier fort und widmete sich wieder seiner Zeitung.

„Wir müssen melden, was Dominik beobachtet hat!", meinte Poppi.

Die Bande ging in Gedanken versunken zum Wagen zurück. Völlig überraschend tauchte ein schlaksiger junger Mann vor ihnen auf und verstellte ihnen den Weg.

„Ich ... ich habe zufällig gehört, was ihr gerade Sammi gefragt habt!" Er deutete mit dem Kopf auf den lesenden Mann. „Ich kann euch das erklären."

Das Gesicht des Burschen war mit Sommersprossen übersät. Er wirkte sehr hektisch und nervös.

„Wir sind ganz Ohr!", sagte Dominik.

„Also ... es ist so ... aber es muss unter uns bleiben. Dort auf der Insel leben die meisten Komodowarane. Es sind aber bereits zu viele. Doch keiner will sie abschießen. Sind schließlich fast vom Aussterben bedroht. Und deshalb werden sie heimlich gefüttert!" Der Bursche fuhr sich ständig mit den Fingern durch die langen Haare und strich sie zurück.

„Gefüttert? Es wird Futter abgeworfen?" Dominik konnte es nicht glauben.

„Ja, ja, ja, Futter. Genau." Der Bursche nickte bekräftigend, als hätte er einen Wackelkontakt im Hals.

„Woher wissen Sie das?", fragte Lilo misstrauisch.

„Ich … also ich kenne den Piloten gut. Helfe manchmal aus. Ich habe euch das nur gesagt, weil es ein Geheimnis bleiben muss. Oder wollt ihr, dass Komodowarane abgeschossen werden müssen?"

„Nein!", sagte Poppi entschieden. „Nein, wirklich nicht."

„Also, ich merke, wir verstehen uns. Okay? Kein Wort!" Er legte den Finger an die Lippen, zwinkerte den vier Freunden zu und ging.

Dominik sah ihm kopfschüttelnd nach.

„Was ist denn?", wollte Axel wissen.

„Hat jemand von euch eine Erklärung, wieso der Typ wie gedruckt lügt?", wollte Dominik wissen.

„Lügt? Wieso glaubst du, dass er nicht die Wahrheit gesagt hat?", fragte Lilo erstaunt.

„Leute, wenn jemand Futter abwirft, wird er doch kaum Leuchtfackeln daran befestigen!"

Poppi stimmte Dominik zu. „Richtig, das verschreckt die Komodowarane höchstens."

Lilo wollte zu dem Grauhaarigen, den der Bursche Sammi genannt hatte, aber er war nicht mehr an seinem Platz. Die Bande wartete noch ein paar Minuten, doch Sammi kehrte nicht zurück.

Joes Wagen stand nicht mehr vor dem Terminal. „Wahrscheinlich hat er ihn auf dem Parkplatz abgestellt!", meinte Axel.

Der Parkplatz gehörte aber zum großen Flughafengebäude und war ziemlich voll. Die vier Freunde seufzten. Wie sollten sie Joe hier finden? Sie konnten nur jede Reihe abgehen, und das würde in der sengenden Sonne ziemlich anstrengend und heiß werden.

„Wieso ist er weggefahren? Was soll das schon wieder?", schimpfte Axel.

„Dort ist er. Ich kann den Jeep sehen! Zum Glück ist er so hoch und überragt die anderen Autos", meldete Lilo. Sie gab den anderen ein Zeichen ihr zu folgen. Als sie dem Wagen näher kamen, sah Lilo Joe an der Heckklappe lehnen. Vor ihm stand ein großer, hagerer Mann. Ein dünnes schwarzes Hemd flatterte um seinen knochigen Körper. Irgendwie erinnerte der Mann an eine Vogelscheuche.

„Hallo Joe!", rief Poppi und winkte.

Es war nicht zu übersehen, dass Joe erschrak. Er wandte sich zum Wagen und tat so, als müsse er eine Stelle auf dem Lack polieren. Der hagere Mann drehte sich mit einem Ruck um und kam mit steifen, eckigen Schritten auf die Knickerbocker-Bande zu. Er trug eine kleine, fast schwarze runde Sonnenbrille und hatte nur wenige Haare auf dem Kopf. Er würdigte die vier Freunde keines Blickes, sondern schritt mit hoch erhobenem Haupt an ihnen vorbei.

Sein Gesicht war gelblich weiß, die Haut sah aus wie Wachs.

„Wer war das?", wollte die Bande von Joe wissen.

„Wer war was?", fragte Joe und tat so, als wüsste er nicht, von wem die Rede war.

„Der Mann, mit dem du geredet hast. Wer war das?", wiederholte Lilo.

„Ach der! Der hat nur eine Auskunft gewollt. Und jetzt steigt ein, wir müssen weiter. Das Museum hat nicht den ganzen Tag geöffnet." Bevor noch weitere Fragen gestellt werden konnten, war Joe schon im Wagen und stellte das Radio sehr laut.

Die vier Junior-Detektive warfen einander verwunderte Blicke zu. Joe hatte zweifellos gelogen. Aber wieso? Wer war das Wachsgesicht?

EINE WAHRE GESCHICHTE?

Das Museum war ein lang gestreckter, weiß gestrichener Holzbau. Auf dem Dach prangte ein mächtiger Komodowaran, der stolz auf die Besucher herunterblickte. Aus seinem Maul kam die gespaltene Zunge.

„Geschlossen" stand auf einem Zettel, der mit Nägeln an der Eingangstür befestigt war.

Joe seufzte tief. „Wir sind zu spät. Wie dumm. Der Umweg zum Flugplatz hat mein ganzes, schönes Programm durcheinander gebracht."

Trotzdem hielt er an und die Knickerbocker-Bande stieg aus. Als sie sich dem Museumsgebäude näherten, entdeckten sie eine zweite Zeile auf dem Zettel. „Es hätte auch nichts genützt, früher zu kommen", rief Dominik zum Wagen zurück. „Das

Museum ist wegen eines Wasserrohrbruchs geschlossen."

„Was gibt es hier überhaupt zu sehen?", wollte Poppi wissen.

„Alles über die letzten Drachen dieser Welt!", sagte eine raue, tiefe Stimme neben ihr. Poppi erschrak so heftig, dass sie einen Sprung zur Seite machte.

Im Schatten eines niedrigen Baumes saß eine uralte Frau in einem sackähnlichen Kleid auf dem Boden. Sie hatte die Hände auf einen knorrigen Stock gelegt und schien sich über Poppis Schreck zu freuen. Ihr Gesicht bestand aus tausenden von Lachfalten. Das Haar hatte sie zu einem kunstvollen Gebilde aufgetürmt.

„Seht mich nicht an, als wäre ich gerade vom Himmel gefallen", lachte die Frau. „Ihr braucht das Museum nicht zu betreten. Fragt mich, ich kann euch alles erzählen. Ich bin besser als jedes Museum. Ich bin Muna."

Neugierig kamen die vier näher.

„Los, fragt schon", forderte Muna sie auf.

„Äh ... also ... wir waren gestern mit Dr. Linta auf der kleinen Insel im Süden. Dort soll es angeblich besonders viele Komodowarane geben!", begann Lilo zu erzählen.

Muna unterbrach sie mit einer ungeduldigen Handbewegung. „Die Frage, die Frage, los!"

„Warum sind die Komodowarane plötzlich auf der Nordseite, obwohl sie dort angeblich nie aufgetaucht sind?", wollte Axel wissen.

Die alte Frau verzog das Gesicht. „Ach, was für eine langweilige Frage. Bestimmt gibt es dort das bessere Futter. Was soll sonst der Grund sein?"

„Wir glauben, dass in der Nacht Sachen am Südende der Insel abgeworfen worden sind", platzte Dominik heraus. „Von einem Flugzeug aus. Haben Sie eine Ahnung, warum?"

Muna nickte langsam. Sie winkte den vieren näher zu kommen und sagte mit geheimnisvoll gesenkter Stimme: „Das ist bestimmt die Ausrüstung der Schatzsucher. Sie sind wieder einmal da, um ihr Glück zu versuchen."

„Schatzsucher?" Die Junior-Detektive waren jetzt richtig neugierig geworden und ließen sich rund um die alte Frau auf dem warmen Boden nieder.

„Auf einer der vielen Inseln, die verstreut im Meer von Komodo liegen, wurde vor mehr als 500 Jahren ein Schatz versteckt. Ein Herrscher aus Europa kam mit einer Flotte von dreißig Schiffen gefahren", berichtete Muna. Sie machte mit den Armen große Bewegungen und schnitt während des

Erzählens wilde Grimassen. „Er ist auf einer Insel gelandet und hat von seinen Sklaven tiefe Löcher in den Boden graben lassen. Dort hat er die Schätze seines Landes versteckt. Truhen, randvoll mit Goldmünzen und Edelsteinen."

„Welcher Herrscher soll das gewesen sein?", fragte Dominik, der immer alles ganz genau wissen wollte.

Die alte Muna zuckte mit den Schultern. „Keiner erinnert sich mehr daran. Doch jeder weiß vom Schatz."

„Und wieso hat ihn niemand gehoben?" Lilo sah Muna erwartungsvoll an.

„Wieso? Weil niemand weiß, auf welcher Insel die Truhen vergraben wurden. Der Herrscher hat den Großteil seiner Mannschaft einfach zurückgelassen. Alle Männer wurden leichte Beute für die Komodowarane. Nichts blieb von ihnen übrig."

Trotz der Hitze schauderten die vier Freunde.

„Mit den wenigen, die er am Leben gelassen hatte, segelte er in die Heimat zurück. Doch kurz vor der Ankunft versenkte er die Schiffe. Außer ihm hat niemand mehr das Festland erreicht. Nur er kannte also das Versteck der Schätze, die er seinem Volk geraubt hatte."

„Und, hat er eine Schatzkarte gezeichnet?", wollte Axel wissen.

Muna schüttelte den Kopf. „Nein, er hat das Geheimnis mit ins Grab genommen. Doch er wusste, dass die Schätze in Sicherheit waren. Die letzten Drachen der Erde hüten sie. Niemandem wird es gelingen, jemals an sie heranzukommen. Viele haben es schon versucht, doch alle haben mit dem Leben bezahlt."

„Das ist doch nur ein Märchen", meinte Lilo.

„Das ist die reine Wahrheit!", zischte Muna aufgebracht. „Zweifelst du vielleicht an meinen Worten?"

„Nein, nein!", sagte Lilo schnell.

Dominik fiel ein, was sie gestern durch die Tür bei Frau Linta gehört hatten. Sie hatte von einer Sensation gesprochen. Von verlässlicher Information und von einem Vorfall. Sollte dieser „Vorfall" vielleicht die Entdeckung der Schätze gewesen sein?

„Und jetzt …" Muna riss die Augen weit auf und blickte von einem Knickerbocker zum anderen. „Und jetzt …"

Gespannt sahen die vier sie an. Was war jetzt?

„Jetzt bekomme ich von jedem von euch Geld für die Auskunft!"

„Aber … wir dachten … Sie gehören zum Museum!", stotterte Dominik.

„Ich bin das bessere Museum. Ich weiß alles über

die Komodowarane. Ich bin besser als ausgestopfte Tiere und alte verstaubte Bilder. Nicht wahr?"

Muna kam mit ihrem Gesicht ganz nahe an Dominik heran. Sie roch nach Gewürzen und feuchter Erde.

„Jajaja, natürlich", beeilte sich Dominik zu sagen. Er holte alles Geld aus der Tasche, das er eingesteckt hatte, und übergab es Muna. Sie zählte es schnell und meinte naserümpfend: „Na gut, weil ihr Kinder seid, bekommt ihr es so billig. Sonderpreis." Danach wankte sie auf den Stock gestützt davon.

„Der Schatz der letzten Drachen", sagte Lilo halblaut vor sich hin. „Oft ist an diesen alten Sagen etwas Wahres dran. Vielleicht waren es nicht dreißig Schiffe, aber einige Truhen voll Goldmünzen würden auch schon reichen."

Axel nickte. „Eigentlich keine schlechte Idee, die Komodowarane als Wachhündchen einzusetzen. Aus Erfahrung kann ich euch sagen, sie sind besser als jeder Schäferhund."

Die Bande ging zum Jeep zurück, den Joe um die Ecke im Schatten abgestellt hatte.

„Was habt ihr so lange bei dem geschlossenen Museum gemacht?", wollte er wissen.

„Kennst du eine Frau namens Muna?", fragte Lilo.

Joe lachte auf. „Die alte Märchentante. Was hat sie euch denn erzählt?"

„Vom Schatz der letzten Drachen!", berichtete Poppi.

Erst nach einer längeren Pause sagte Joe: „Das dürfte wohl die einzige wahre Geschichte sein, die Muna kennt."

EIN UNFREIWILLIGER AUSFLUG

Das Mittagessen gab es für die Knickerbocker-Bande wieder im Hotel: Hamburger mit einem Berg Pommes.

„Und, wie weit seid ihr schon mit eurem Bericht über die Komodowarane?", erkundigte sich Joe schmatzend.

Axel, Lilo, Poppi und Dominik schwiegen betreten. Sie hatten nicht einmal richtig angefangen. „Wir haben viel zu wenig Material bisher", beschwerte sich Lilo. „Wir brauchen tolle Fotos und noch viel mehr Informationen. Sonst wird der Artikel eine müde Geschichte."

„Oder wir schreiben doch, dass ich von Komis angefallen worden bin", schlug Axel vor.

„Nein, unter keinen Umständen. Das dürft ihr

nicht!", brauste Joe auf. „Ihr wisst, dass mich das meinen Job kosten könnte."

Die Junior-Detektive blickten betreten auf ihre leeren Teller. Was sollten sie tun?

Joe gähnte heftig. Die Mittagshitze und das Essen hatten ihn müde gemacht. „Ich lege mich eine Stunde aufs Ohr. Wenn es ein bisschen kühler wird, bringe ich euch dann, wohin ihr wollt. Ich will wirklich nicht schuld sein, wenn ihr euren Auftrag nicht erfüllt."

Die vier blieben am Tisch sitzen und überlegten. „Es gibt jede Menge Berichte über Komodowarane. Das einzig Spektakuläre an unserem Aufenthalt hier war Axels Begegnung mit dem Komi!", begann Dominik. „Mit einem tollen Foto gibt das eine Sensationsstory!"

Axel war der gleichen Meinung. Lilo schloss sich an. Nur Poppi wollte nichts davon wissen. „Das wäre gemein. Denkt doch an Joe."

„Ach, es wird ihm schon nichts geschehen. Wir sagen einfach den Zeitungsleuten, dass ihn keine Schuld trifft!", wischte Dominik ihre Bedenken vom Tisch.

„Ich finde das trotzdem nicht richtig. Außerdem werden die Komodowarane wieder als wilde Bestien hingestellt. Aber das sind sie nicht. Ich finde es mies, Tiere schlecht zu machen, nur um eine tolle Geschichte in der Zeitung zu haben." Poppi schrie fast.

„Ach, reg dich ab. Dein Tierfimmel geht mir manchmal ziemlich auf den Geist", brummte Axel.

Wütend schlug Poppi auf den Tisch. „Macht doch, was ihr wollt. Aber ohne mich. Ich schreibe meinen eigenen Bericht." Sie sprang auf und verließ den Hof, in dem die Bande saß. Die Tränen in den Augen verschleierten ihr den Blick. Sie dachte gar nicht darüber nach, wohin sie lief. Auf einmal stand sie auf der Straße vor dem Hotel.

„Nein, ich gehe nicht zurück. Ich will die anderen gar nicht mehr sehen!", sagte sie trotzig.

Unter einem Schattendach war der Jeep abgestellt. Die beiden Vordertüren standen offen, damit der Wind durchfegen konnte.

Poppi war ziemlich müde. Die breite Rückbank des Geländewagens fiel ihr ein. Sie wollte sich dort ausstrecken und ein kleines Nickerchen halten. Bestimmt würden sie ihre Freunde bald suchen, aber nicht finden. Axel würde es dann Leid tun, dass er so gemein gewesen war. Sie kroch auf die Bank und machte es sich so bequem wie möglich. Kühl war es nicht gerade im Wagen, aber auch nicht heißer als im Freien.

Poppi ärgerte sich noch ein bisschen über Axel, schlief dann aber ein.

Minuten später rüttelte sie jemand heftig. Poppi hatte Mühe die Augen zu öffnen. Sie war wie betäubt. Die Hitze und die feuchte Luft auf Komodo machten ihr sehr zu schaffen.

Wer rüttelte sie da?

Sie hob den Kopf und rechnete mit einem bekannten Gesicht. Sicher hatten ihre Freunde sie gefunden. Doch über ihr war nur das graue Autodach.

Der Jeep fuhr.

Poppi setzte sich auf. Joe raste mit großer Geschwindigkeit über die Straße, wobei er laut vor sich hin schimpfte. „Diese Blödmänner! Nichts ist ihnen recht. Diese verdammten Idioten. Ich halte sie nicht mehr aus!"

Ängstlich duckte sich Poppi hinter den Fahrersitz. Sie ließ sich auf den Boden sinken und machte sich so klein wie möglich. Joe schien sie nicht bemerkt zu haben. Sie beschloss, sich ganz still zu verhalten. Joe musste schließlich bald wieder zurück zum Hotel, wo er mit ihr und ihren Freunden verabredet war.

Die Fahrt dauerte nicht sehr lange. Joe schimpfte und fluchte, bis er den Wagen abstellte. Wütend knallte er die Tür hinter sich zu und stapfte davon. Unter seinen Schuhen knirschte Kies.

Wo war er überhaupt hingefahren?

Poppi wagte es den Kopf zu heben. Sie spähte durch das offene Autofenster und holte tief Luft. Vor ihr lag das tollste Haus, das sie je gesehen hatte. Es bestand aus einem riesigen Dach aus einer silbernen Kunststoffplane. Mit Stahlseilen und Streben war sie wie ein überdimensionales, schräges Segel aufgespannt. Eine Kante war am Boden befestigt, die andere befand sich mindestens zehn Meter in der Luft. Die offene Front schien nur aus Glas zu bestehen. Dahinter waren die Zimmer zu erkennen, von denen man einen prachtvollen Blick hinunter auf das offene Meer haben musste.

„Das muss das Haus von diesem Mister Krok sein", fiel Poppi ein. Hinter der Fensterfront im Erdgeschoss bewegte sich etwas. Poppi sah genauer hin. Sie schüttelte den Kopf, als könnte sie ihren Augen nicht trauen.

Was war das? Joe hatte doch behauptet, das Haus stünde leer. Poppi sah aber Gestalten. Es waren gleich mehrere und es handelte sich nicht um gewöhnliche Menschen.

Poppi schluckte trocken. Am liebsten hätte sie sich unter dem Sitz verkrochen. Sie hatte große

Angst, entdeckt zu werden. „Nein, du wirst jetzt ganz genau hinsehen und den anderen dann alles berichten!", sagte sie streng zu sich.

Die Schatten, die sich im Erdgeschoss bewegten, kamen näher an die Glasscheibe heran. Es bestand nun kein Zweifel mehr, Poppi hatte sich nicht geirrt. Im Haus hielten sich mehrere Wesen in weiten silberfarbenen Anzügen auf, die von den Füßen bis zum Scheitel und den Fingerspitzen reichten. An der Stelle des Gesichts befand sich ein kleines Fenster, das golden verspiegelt war. Die Wesen bewegten sich langsam und erinnerten an Astronauten auf dem Mond. Die Sonne, die durch die Fenster fiel, ließ die Anzüge grell blitzen und leuchten.

Wer war da im Haus von Mister Krok? Der Millionär persönlich? Feierte er eine Art ausgeflippte Party?

Die silbernen Wesen verschwanden mit schwankenden Schritten im hinteren Teil des Hauses. Poppi konnte sie nicht mehr sehen. Dafür wurde die Haustür aufgerissen und krachte gegen eine der Metallsäulen. Das ganze Haus schien zu erzittern und zu klirren.

„Ich habe nicht verlangt, dass Sie herkommen!", brüllte eine Stimme im Haus. Joe stolperte ins Freie und verneigte sich immer wieder. „Ich … ich wollte doch nur helfen", erklärte er stotternd. „Das müssen Sie doch verstehen. Ich kann Ihnen nicht per Telefon sagen, wo sich die Stromzuleitungen befinden."

„Falls Sie noch einmal so überraschend auftauchen, werden Sie das Haus nicht mehr lebend verlassen!", drohte die Stimme.

„Aber …" Joe wich erschrocken zurück.

Von drinnen kam heiseres Gelächter. „War nur ein Scherz. Sie können sich wieder beruhigen. Trotzdem wünsche ich keine Störungen. Falls ich Sie hier sehen will, teile ich es Ihnen mit. Verstanden?"

„Jaja!", Joe verneigte sich abermals und hastete zum Jeep zurück. Poppi duckte sich wieder hinter den Sitz. Der Motor jaulte auf und Joe warf krachend den Gang ein. Mit durchdrehenden Rädern raste er los und hinterließ eine mächtige Staubwolke. Während der Fahrt zum Hotel schimpfte und fluchte er wieder.

Wenigstens hat er mit den „Mistkerlen" nicht uns gemeint, dachte Poppi.

Vor dem Hotel machte Joe eine Notbremsung. Poppi wurde gegen den Vordersitz geschleudert und stöhnte leise auf. Sie spürte einen heftigen Stich in ihrer Schulter.

Joe stieg aus und rüttelte an seinem Sitz, un. vorzuklappen. Poppi hielt vor Schreck die Luft an. Er würde sie gleich entdecken.

INTERNATIONALES
WELTRAUMZENTRUM

„Joe! Joe! Komm schnell!", hörte Poppi Axel rufen.

„Was ist denn geschehen?", fragte Joe barsch. Er ließ den Hebel am Sitz wieder los und machte ein paar Schritte vom Wagen weg.

„Poppi ist weg. Wir … also … wir hatten da …"

„… eine kleine Meinungsverschiedenheit", half ihm Dominik weiter. „Seither ist sie verschwunden."

„Verschwunden? Seid ihr verrückt? Dann müssen wir die Polizei verständigen. Euch kann man auch keine Sekunde unbeaufsichtigt lassen!", schimpfte Joe.

Gemeinsam mit Axel und Dominik verschwand er im Hotel. Poppi atmete auf und schlüpfte aus dem Jeep. Sie lief um das Haus herum in den kleinen Garten und betrat von dort das Hotel. Ihre Freunde standen an der Rezeption und diskutierten heftig mit Joe.

„Tag!", sagte Poppi und lächelte breit.

Axel, Lilo und Dominik drehten sich mit einem Ruck zu ihr um.

„Poppi?"

„Wieso schaut ihr mich so an? Habt ihr jemand anderen erwartet? Einen Komodowaran? Oder Elvis Presley?"

„Wo hast du gesteckt?", wollte Lilo wissen.

„Geschlafen, dort draußen im Garten, im Schatten!", schwindelte Poppi und schaffte es, dabei nicht rot zu werden.

„Und deswegen die ganze Aufregung", knurrte Joe und ging auf sein Zimmer. Von der Treppe rief er der Bande zu: „In einer halben Stunde brechen wir auf. Macht euch fertig!"

Axel schüttelte den Kopf. „Was hat er denn? Hat ihn seine Freundin verlassen?"

„Nein, es muss sich um etwas ganz anderes handeln", sagte Poppi. Sie gab ihren Freunden ein Zeichen mitzukommen. Obwohl die Sonne noch sehr hoch stand, zogen sie sich auf das Dach zurück. Dort konnten sie bestimmt nicht belauscht werden. Poppi schilderte haarklein, was sie beobachtet hatte.

„Heiße Geschichte!", stellte Axel fest, als sie fertig war.

Lilo knetete ihre Nasenspitze. Ein Zeichen, dass sie angestrengt nachdachte. Nach einer Weile sagte sie: „Leute, ich glaube, Joe versucht sich ein bisschen Geld dazuzuverdienen. Er vermietet heimlich das Haus von diesem Mister Krok und lässt die Miete in seiner eigenen Tasche verschwinden."

„Aber an wen hat er vermietet? Was sind das für seltsame Gestalten in den Silberanzügen?", fragte Poppi.

Dominik hatte eine Erklärung. „Deiner Beschreibung nach könnte es sich um Schutzanzüge handeln, wie sie zum Beispiel von der Feuerwehr verwendet werden."

„Und wovor sollen sie schützen?" Axel hielt nicht viel von Dominiks Idee.

„Die silberfarbenen Anzüge werden zum Beispiel bei Bränden eingesetzt. Feuerwehrmänner können damit brennende Gebäude betreten. So viel ich weiß, werden sie auch bei Giftalarm eingesetzt. Es gibt sogar Modelle, die radioaktive Strahlung abschirmen, bei atomaren Notfällen."

Poppi verzog ungläubig das Gesicht. „Atomare Notfälle! Dominik, jetzt übertreibst du aber gewaltig. Im Haus von diesem Mister Krok gibt es keinen atomaren Notfall. Es hat auch nicht gebrannt, und nach einem Giftalarm hat es ebenfalls nicht ausgesehen."

Dominik holte tief Luft. „Na gut, Poppi. Wozu dienen die silbernen Anzüge dann? Hast du vielleicht Außerirdische gesehen, die gerade gelandet sind?"

„Natürlich nicht, du Dumpfbacke!", schmollte Poppi.

„Hört schon auf zu streiten", mischte sich Lilo ein. „Überlegt besser, was wir weiter unternehmen sollen."

Die anderen drei zuckten die Schultern.

„Wir tun so, als wüssten wir von gar nichts!", schlug Lilo nach kurzem Nachdenken vor. „Vielleicht können wir auf diese Weise mehr aus Joe herausbekommen."

„Mich würde interessieren, was mit Su Linta geschehen ist", fiel Poppi ein.

„Wir werden einfach noch einmal zu ihr fahren. Ihr Freund, dieser Leon, war doch bei der Polizei. Er weiß bestimmt mehr!", sagte Lilo.

Die vier verließen das Dach und stiegen die steile Steintreppe nach unten.

„Null-Null-Eins", murmelte Dominik vor sich hin.

„Wer soll das sein? Ein Geheimagent, oder was?", fragte Axel, der hinter ihm ging.

„Nein, mit 001 beginnt die Telefonnummer, die Dr. Linta gestern gewählt hat. Sie stand auf der Anzeige ihres Telefons, als wir die Wiederwahltaste gedrückt haben", erklärte Dominik.

„He, das hätte ich fast vergessen. Los, wir probieren aus, wer sich da meldet!" Lilo steuerte auf das Zimmer der Mädchen zu und winkte den Jungen mitzukommen.

„Das kannst du dir sparen. Es ist sicher die Nummer dieses Leon!", meinte Poppi.

„Trotzdem will ich sie ausprobieren!" Lilo nahm den Apparat vom Nachtschränkchen und begann zu tippen. Zuerst knackste es nur. Dann gab es ein Freizeichen am anderen Ende der Leitung. Es hörte sich aber ganz anders an als das Freizeichen, das die Bande kannte.

„Der Vorwahl nach handelt es sich um eine Nummer in den USA. Allerdings kann sie natürlich auch zu einem Apparat an einem ganz anderen Ort der Welt umgeleitet sein", dozierte Dominik.

Eine junge Frauenstimme meldete sich auf Englisch. „Internationales Weltraumzentrum, guten Tag. Mein Name ist Betty Worden, was kann ich für Sie tun?"

„Äh …", Lilo überlegte fieberhaft, was sie sagen sollte.

„Hallo, bitte melden Sie sich, sonst muss ich die Leitung unterbrechen!", sagte das Mädchen höflich.

„Ja, ich suche Leon!", platzte Lilo raus.

„Leon? Ist das der Nachname?"

„Nein, der Vorname!"

„Sie meinen wohl Professor Leon Askeno. Tut mir Leid, er ist verreist und kommt erst nächste Woche wieder. Darf ich etwas ausrichten?"

„Nein, nein, danke!" Lilo legte schnell auf. „Professor Leon Askeno", wiederholte sie langsam. „Er hat eigentlich gar nicht wie ein Professor ausgesehen. Aber wenn er im Weltraumzentrum arbeitet, scheint er etwas mit Astronomie zu tun zu haben."

„Astronomie? Du meinst, er macht Horoskope und ähnlichen Hokuspokus?", fragte Axel verwundert.

Dominik verdrehte die Augen über die Unwissenheit seines Freundes. „Astronomie ist die Lehre von den Himmelskörpern. Horoskope werden von einem Astrologen erstellt!"

„Weiß ich ohnehin, wollte nur testen, ob du es auch weißt!", gab Axel lässig zurück.

„Was kann sich für einen Astronomen hier so

Sensationelles ereignet haben, das eine Auswirkung auf die Komodowarane hat?", überlegte Lilo laut.

„Fragen wir das Professorchen doch einfach!", meinte Axel.

Joe hatte schlechte Laune. Finster starrte er vor sich hin. Den Wunsch der Bande, noch einmal zu Dr. Linta zu fahren, kommentierte er mit einem „Wenn ihr meint. Mir soll's recht sein!".

Nachdem er die vier vor dem Holzhaus abgesetzt hatte, entschuldigte er sich für eine Viertelstunde. „Muss schnell was besorgen. Hole euch dann wieder ab."

Die Bande war einverstanden.

„He, das Boot ist nicht da!", stellte Poppi fest.

„Wahrscheinlich ist Professor Askeno zur Insel gefahren, um dort nach Su zu suchen", vermutete Lilo. Trotzdem klopfte sie an die Holztür. Wie erwartet kam keine Reaktion. Lilo drückte die Klinke runter und die Tür sprang mit einem leisen Knall ein paar Zentimeter nach innen auf. „Sollen wir einen Blick hineinwerfen?", fragte Lilo die anderen.

„Nein!" Poppi zögerte keine Sekunde.

„Ja!", antworteten die Jungen wie aus einem Munde.

„Drei zu eins, Poppi, du bist überstimmt!"

„Ich warte trotzdem draußen", sagte Poppi.

„Okay!" Ihre Freunde waren einverstanden. Sie drückten die Tür weiter auf und schlüpften in das Haus. Poppi hörte das Knarren ihrer Schritte auf dem Holzboden.

Weil sie nicht einfach nur dastehen wollte, beschloss sie, einen Blick hinter das Haus zu werfen. Vielleicht gab es dort noch andere blühende Pflanzen. Dr. Linta schien ihren Garten mit viel Liebe zu pflegen.

Sie bog gerade um die Ecke, als sie vom Meer her das Brummen eines Motorbootes hörte, das sich schnell näherte.

„Das wird der Professor sein!", dachte sie und wollte ihm entgegengehen. Überrascht blieb sie dann aber stehen und presste sich gegen die Holzwand. Vorsichtig spähte sie an der Kante vorbei in Richtung Steg.

Es kamen zwei Boote. Poppi wusste selbst nicht warum, aber in ihrem Kopf schrillten Alarmglocken. Als die Boote näher kamen, erkannte sie eines als Motorboot von Dr. Linta. Das zweite war ein großes Schlauchboot mit kräftigem Außenbordmotor. Er ließ den Bug des Schiffes bei voller Fahrt hoch aus dem Wasser steigen.

Am Steuer von Su Lintas Boot stand ein dünner

Mann mit Schirmkappe, großer Sonnenbrille und Militaryjacke. Professor Askeno war es eindeutig nicht.

Das Boot wurde zum Steg gelenkt und der Mann sprang an Land. Er schlang das Tau um einen Pfosten und gab dann dem anderen im Schlauchboot ein Zeichen näher zu kommen. Mit verringerter Geschwindigkeit tuckerte es auf ihn zu. Der Mann am Außenbordmotor erhob sich und streckte den Arm aus, um das Boot an den Steg heranzuziehen.

Als der Mann in der Militaryjacke einsteigen wollte, gab es einen Zwischenfall, der Poppi den Atem raubte.

DIE ENTFÜHRUNG

Aus dem Schlauchboot schnellte eine bullige Gestalt in die Höhe. Ein breites Klebeband spannte sich über sein Gesicht. Die Arme schienen auf dem Rücken gefesselt zu sein.

„Professor Askeno!", entfuhr es Poppi. Sie hatte den Namen so laut gerufen, dass die Männer sich zu ihr umdrehten. Schnell sprang sie hinter die Ecke zurück. Ihr Herz raste. Das Blut pochte wie Trommelschläge in ihren Ohren.

Die Männer riefen einander etwas zu. Schwere Schritte polterten über den Holzsteg.

Poppi rang nach Luft und begann dann aus vollem Hals zu brüllen. Noch nie zuvor hatte sie so laut geschrien. „Hilfe! Lilo! Axel! Dominik! Hilfe!"

Der Mann in der Militaryjacke blieb stehen und

drehte sich zu dem anderen um. Ein Fenster im ersten Stock wurde aufgerissen und Lilo beugte sich hinaus. „Was ist denn? Was hast du?"

Vom Schlauchboot kam ein kurzer Befehl. Der Mann auf dem Steg machte kehrt und rannte zurück. Er sprang in das Boot, in dem der andere bereits den Motor angeworfen hatte. Das Wasser spritzte nach allen Seiten, als er es mit Schwung wendete und davonraste.

„In dem Boot … Professor Askeno!", keuchte Poppi.

„Was?" Lilo verstand kein Wort und kam deshalb herunter. Poppi brauchte einige Minuten, um sich zu beruhigen. Erst dann konnte sie ihren Freunden von der Beobachtung berichten.

„Das würde bedeuten, der Professor wurde entführt. Seine Entführer haben das Boot von Dr. Linta zurückgebracht, damit niemand weiß, wohin er verschwunden ist", kombinierte Dominik.

Axel war blass geworden. „Leute, Poppi hat die Entführer gesehen. Lilo auch. Wir wissen zu viel. Vielleicht kommen die Männer zurück."

Die Mädchen sahen ihn entsetzt an. „Du hast Recht. Wir sind Augenzeugen."

„Ich wette, Leon Askeno war auf der Komodowaran-Insel. Dort hält sich jemand auf. Damit Professor Askeno die Leute nicht verraten kann, haben sie ihn entführt. Wahrscheinlich haben sie das Gleiche mit Su Linta gemacht", sagte Lilo.

Poppi zitterte. „Was ... was tun wir jetzt? Wir müssen schnellstens fort von Komodo."

„Unser Flug geht erst in drei Tagen", erinnerte Dominik sie.

„Dann ... dann müssen wir uns verstecken!"

Lilo und Axel nickten. Aber sie kannten sich auf der Insel nicht aus. Wo sollten sie ein gutes Versteck finden?

Hinter ihnen hupte es. Erschrocken drehten sie sich um. Es war Joe, der mit dem Jeep die Schotterstraße auf sie zugerollt kam. Er beugte sich aus dem Fenster und rief: „Was rausbekommen für euren Artikel?"

„Dr. Linta und ihr Freund ... dieser Professor ... sie sind entführt worden!", platzte Poppi heraus.

Joe riss überrascht die Augen auf. „Was sagt ihr da?"

„Ja, auf der Insel, auf der Su die Komodowarane beobachtet, ist irgendetwas im Gange. Deshalb sind die Komis auch auf die andere Seite geflüchtet!", berichtete Dominik von den Überlegungen der Bande.

Lilo war das gar nicht recht. Irgendwie traute sie Joe nicht.

„Kinder, ihr seht zu viele Krimis!", lachte er los. „Kommt, steigt ein. Su und ihr Freund machen sich wohl ein gemütliches Wochenende. Ich denke, da sollten wir uns raushalten."

Poppi schüttelte energisch den Kopf. „Nein, sie wurden entführt. So glaub uns doch."

„Ihr wollt euch nur für meine Streiche rächen", meinte Joe und machte eine wegwerfende Handbewegung. „Ich falle aber nicht darauf rein. Da müsst ihr euch schon etwas Besseres ausdenken."

Ratlos sahen sich die Knickerbocker an. Was sollten sie da noch sagen?

„Bitte … du musst uns irgendwo in Sicherheit bringen. Die Männer werden uns suchen!", drängte Poppi, die nicht aufgeben wollte.

„Ja, zum Beispiel im Haus von Mister Krok!", schlug Lilo vor und wartete gespannt auf Joes Reaktion. Der Schreck war ihm anzusehen. Er winkte ab und wechselte schnell das Thema. „Ich habe noch einen anderen Experten für Komodowarane aufgetrieben, mit dem ihr reden könnt. Ich bringe euch zu ihm."

Der Experte war ein uralter Mann namens Timon Gall. Er saß auf der überdachten Veranda seines Hauses, das mindestens so alt sein musste wie er, und wippte in einem Schaukelstuhl hin und her. Die Knickerbocker reichten ihm einer nach dem anderen die Hand und stellten sich höflich vor.

Als Joe an der Tür geklopft hatte, war eine weißhaarige Frau mit rosa Backen gekommen und hatte geöffnet. Sie stellte sich als Mrs Gall vor und war quirlig und geschäftig wie ein Eichhörnchen. Ihr Mann war das genaue Gegenteil. Er lächelte zufrieden vor sich hin, musterte die Bande interessiert und schaukelte weiter vor und zurück.

Ein bisschen verlegen traten die vier von einem Bein auf das andere. Lilo berichtete kurz, wieso sie auf der Insel waren. „Dürfen wir Ihnen einige Fragen stellen?"

Der Mann, der noch immer kein Wort gesprochen hatte, nickte.

„Wir brauchen besonders interessante Informationen über Komodowarane für unseren Artikel. Sie kennen sich doch gut mit diesen Riesenechsen aus. Können Sie uns ein bisschen etwas erzählen?"

Mister Gall lächelte weiter vor sich hin. Mit seinen wässrigen grauen Augen blickte er zum Himmel und sagte mit hoher Fistelstimme: „In der Nacht ist Feuer vom Himmel gefallen."

„Wie bitte?" Die Knickerbocker verstanden nicht, was er meinte.

„In der Nacht kam der Feuerball. Wie es die Prophezeiung angekündigt hat. Ein Feuerball wird kommen und euch den Platz anzeigen, wo ihr graben müsst. Doch hütet euch vor den Drachen. Sie werden den Schatz niemals hergeben."

„Der Schatz? Der Schatz der letzten Drachen?", fragte Lilo nach.

Der alte Mann verzog das Gesicht zu einem listigen Grinsen und nickte langsam. „Macht euch auf die Suche. Die Chancen stehen günstig, den Schatz zu finden. Doch wird es euch nichts nützen, wenn ihr ihn hebt. Ihr werdet Opfer der Drachen werden, wie schon hunderte vor euch."

„Nette Aussichten", knurrte Axel.

„Aber die Komodowarane … können sie uns nicht noch etwas erzählen?" Lilo sah den alten Mann bittend an. Seine Frau beugte sich ganz nahe zu ihr herüber und flüsterte: „Timon hat selbst einmal nach dem Schatz gesucht. Fischer haben ihn im Meer gefunden. Er klammerte sich an ein Brett und die Haie umkreisten ihn bereits. Auf der Insel muss es zu einem fürchterlichen Kampf gekommen sein. Seit damals sitzt Timo tagaus tagein hier auf der Veranda und schaut auf das Meer hinaus. So viel wie heute hat er schon lange nicht gesprochen. Ich bin euch so dankbar, dass ihr gekommen seid. Er bekommt nie Besuch."

„Wir dachten eigentlich, er sei Experte für Komodowarane", flüsterte Lilo zurück.

„Das war er auch, doch es ist lange her. Den Schock hat er nie überwunden. Aber ich habe mich daran gewöhnt, und für mich bleibt er für immer der beste Mann, den ich mir nur wünschen konnte."

Lilo lächelte die Frau an. Die Bande verabschiedete sich von den beiden Galls und verließ das Haus.

„Und, was hat er euch alles erzählt?", fragte Joe, als sie in den Wagen kletterten.

„Er hat einen Feuerball vom Himmel fallen sehen, der den Weg zum Schatz zeigt!", wiederholte Lilo.

„Man müsste sich auf die Suche machen und Glück haben. Dann wäre man alle Sorgen für immer los!", sagte Joe verträumt.

„Und wenn du einem hungrigen Komodowaran begegnest, hat dein letztes Stündchen geschlagen. Wie wahr, dann bist du alle Sorgen los!", spottete Axel.

Dominik lehnte sich zurück und dachte nach. „Feuerball? Was meint er damit? Hat er wirklich etwas gesehen oder ist das mehr ein Wunschtraum?", fragte er die anderen.

„Ich fürchte, Mister Gall kann nicht mehr zwischen seinen Träumen und der Wirklichkeit unterscheiden", meinte Lilo nachdenklich.

Dominik schnalzte mit der Zunge. „Vielleicht doch!"

Der Rest der Bande sah überrascht zu ihm. Dominik deutete mit den Augen auf Joe. Er wollte nicht vor ihm reden.

LANDUNG
DER AUSSERIRDISCHEN

„Was ist dir eingefallen?", bedrängten Lilo, Poppi und Axel ihren Freund, nachdem sie ins Hotel zurückgekehrt waren.

„Leon ist Professor und arbeitet in einem Internationalen Weltraumzentrum. Mister Gall behauptet, einen Feuerball vom Himmel fallen gesehen zu haben. Angeblich erfüllt sich damit eine Prophezeiung. Der Feuerball wird den Weg zum versteckten Schatz zeigen."

„Ja und?" Axel verstand noch immer nicht, worauf Dominik hinauswollte.

„Vielleicht ist vor 500 Jahren gar kein Europäer mit Schätzen gekommen. Vielleicht waren es Außerirdische."

Lilo tippte sich an die Stirn. „Klar, und in Wirk-

lichkeit bist du auch von einem Stern gefallen",
spottete sie.

„Vom Planet der Klugscheißer!", meinte Axel bissig.

Dominik verschränkte wütend die Arme vor der
Brust. „Ich habe es langsam satt, immer als Dumm-
schwätzer hingestellt zu werden. Ihr tut alle so, als
hättet ihr die Weisheit mit dem Löffel gegessen."

„Na gut, bitte, erzähl weiter!", forderte Lilo ihn
auf, verdrehte aber gleichzeitig die Augen.

„Es gibt Forscher, die immer wieder Beweise an
den Wänden von Steinzeithöhlen, in ägyptischen
Gräbern oder in den Pyramiden der Mayas finden,
die auf gelandete Raumschiffe hindeuten könnten.
Warum soll es das nicht geben? Vielleicht ist an der
Geschichte, die uns Muna erzählt hat, etwas Wahres
dran. Möglicherweise ist der Feuerball, den Mister
Gall beobachtet hat, keine Sternschnuppe, sondern
wieder ein Raumschiff."

Poppi fiel ein, dass Su am Telefon von „einer Sensation" gesprochen hatte. „Sie hat sich Sorgen um
die Komodowarane gemacht", erinnerte sie die anderen. „‚Ich weiß nicht, welche Folgen der Vorfall
auf die Komis hat‘, hat sie gesagt."

Dominik nickte triumphierend. „Da hört ihr es.
Dieser Leon und Su Linta wissen mehr, und deshalb

mussten sie auch verschwinden. Möglicherweise arbeitet auf der Insel bereits ein geheimes Kommando des Militärs, das das Raumschiff sicherstellen will. Die Ausrüstungsgegenstände wurden bereits angeliefert und abgeworfen."

Lilo schüttelte den Kopf. „Ich kann mir das einfach nicht vorstellen. Es klingt völlig verrückt."

„Leute, wir haben beobachtet, was mit Leon Askeno geschehen ist", wandte Poppi ein. „Wir … wir wollten uns doch irgendwo verstecken."

Lilo blickte sie nachdenklich an. „Gibt es eine Möglichkeit, wie sie uns auf die Spur kommen können?"

Axel und Dominik konnten es sich nicht vorstellen. Die Männer hatten nur Poppi und Lilo gesehen, und das so kurz, dass sie sich bestimmt nicht ihre Gesichter gemerkt hatten. Komodo war eine große Insel. Die Mädchen zu finden, wäre wie die berühmte Suche nach der Stecknadel im Heuhaufen.

„Im Hotel wohnt außer uns niemand", überlegte Lilo laut. „Wir schleichen uns in der Nacht ganz einfach in andere Zimmer und schlafen dort. Falls wirklich jemand kommen sollte, wird er in unseren richtigen Zimmern eine lautstarke Überraschung erleben. Wir bauen Fallen aus allem, was Lärm macht. Besorgt leere Dosen, Kleiderbügel, Holz, Koffer und Stricke."

Axel drehte den Schirm seiner Kappe nach hinten. „Eines muss man dir leider lassen: Du hast keine schlechten Ideen."

Die vier Mitglieder der Knickerbocker-Bande waren unruhig. Wie groß war die Möglichkeit, dass die geheimnisvollen Männer nach ihnen suchten? War die Bande wirklich unauffindbar und in Sicherheit?

Warum glaubte ihnen Joe nicht? Konnten sie ohne ihn zur Polizei gehen? Würde man ihnen glauben? Wahrscheinlich nicht.

Sie wollten unbedingt mit jemandem reden, aber mit wem?

Nach dem Abendessen verabschiedete sich Joe für einige Stunden. „Ich habe ein paar dringende Dinge zu erledigen. Ist euer Bedarf an Komodowaranen gedeckt, oder muss ich mich um weitere Augenzeugen kümmern?"

„Wir brauchen unbedingt gute Fotos", fiel Dominik ein. „Gibt es keine Möglichkeit, noch einmal auf eine Insel zu fahren, auf der Komis leben?"

Joe verzog ratlos das Gesicht. „Da Dr. Linta nicht erreichbar ist, sehe ich keine Chance. Aber ich werde mir dazu etwas überlegen."

Nachdem er gegangen war, sagte Poppi: „Wann schreiben wir eigentlich den Artikel für die Zeitung?"

„Gute Frage!", brummte Axel.

„Keine Lust!", gähnte Dominik. „Schlimmstenfalls auf dem Rückflug. Schließlich sind wir fast 24 Stunden in der Luft."

Das Mädchen, das nicht nur kochte und putzte, sondern auch immer mit strahlendem Lächeln an der Hotelrezeption stand, kam zu ihnen auf die Dachterrasse.

„Vielen Dank, das Essen war wieder ausgezeichnet", lobte Axel die Mischung aus Reis und Huhn mit Curry. Die anderen stimmten zu.

„Danke sehr. Aber ich komme, weil euch jemand sucht!", erklärte das Mädchen.

Die vier Knickerbocker sausten in die Höhe. „Wer?", fragten sie wie aus einem Mund.

Das Mädchen sah sie erstaunt an und schüttelte verwundert den Kopf. „Habt ihr etwas ausgefressen? Werdet ihr gesucht?"

„Äh … nein … aber … wieso sucht uns jemand? Wer ist das?", fragte Lilo vorsichtig.

„Ein Mann. Ein Mann in schwarzen Jeans und weißem Hemd. Er hat nach den vier Kindern gefragt, die hier in unserem Hotel wohnen."

Die Knickerbocker sahen einander fragend an. Sollte sich ihr schlimmster Verdacht bestätigen? War das einer der Männer, die Leon und Su entführt hatten?

„Was haben Sie dem Mann denn gesagt?", wollte Lilo wissen.

„Ich habe ihm gesagt, dass ihr gerade beim Essen seid und ich nachsehen werde, ob ihr damit schon fertig seid."

Lilo hatte eine Idee. „Ich gehe mit Ihnen hinunter und sehe mir an, wer das sein kann. Könnten Sie bei mir bleiben?", bat sie das Mädchen.

„Wieso? Das klingt, als wäre der Mann gefährlich. So sieht er eigentlich nicht aus."

„Trotzdem, bitte", wiederholte Lilo.

„Gut!" Das Mädchen machte ein ratloses Gesicht, war aber einverstanden.

„Ich komme euch nach, lasse mich aber nicht blicken!", flüsterte Axel Lilo zu. Poppi und Dominik sollten über die Feuerleiter an der Außenwand hinunterklettern und auf der Straße nachsehen, ob der Mann Komplizen mitgebracht hatte.

Sehr wohl war Lilo nicht, als sie neben dem Mädchen die Treppe hinunterging. „Ich heiße übrigens Luna und ihr könnt gerne Du zu mir sagen", bot das Mädchen lächelnd an.

„Luna? Das ist doch das italienische Wort für Mond, oder?"

Luna nickte. „Meine Eltern stammen aus Italien."

Sie hatten den letzten Treppenabsatz erreicht und Lilo konnte einen Blick in die Halle werfen. Mit dem Rücken zu ihr stand ein schlanker Mann mit breiten Schultern. Er hatte die Arme hinten verschränkt. Sie waren braun gebrannt und sehr muskulös.

Mit einem leisen Räuspern machte Luna auf sich aufmerksam. Der Mann drehte sich um und musterte Lilo interessiert. Sein Gesicht war kantig, die Haut mit Narben übersät.

„Tag!", sagte Lilo leise.

Der Mann verzog den Mund zu einem strahlenden Lächeln. „Guten Abend, wohl besser." Er streckte ihr die große Hand entgegen.

Das Superhirn der Bande wandte einen Trick an. Es übersah die Hand und starrte dem Unbekannten dabei frech ins Gesicht. Damit konnte man Leute am schnellsten und einfachsten aus der Ruhe bringen.

„Hast du noch Freunde?", wollte der Mann wissen.

„Zuerst würde ich gerne erfahren, wer Sie sind", erklärte Lilo und klang dabei sehr ruhig, obwohl sie es ganz und gar nicht wahr.

„Wie dumm von mir!", lachte der Mann. „Mein Name ist George Cluny. Ich bin ein guter Freund von Su Linta und Leon Askeno."

„So, sind Sie das?" Lilo ließ keinen Zweifel, dass sie dem Mann nicht traute.

„Wieso bezweifelst du das?", wollte er wissen.

„Ich habe Sie noch nie gesehen."

„Ich dich auch nicht. Aber du und deine Freunde,

ihr spielt eine nicht unwesentliche Rolle im Verschwinden von Su und Leon."

Fragend runzelte Lilo die Stirn.

„Das Treffen mit euch ist der letzte Termin in Sus Kalender, den sie abgehakt hat. Leon hat, bevor er verschwunden ist, ebenfalls berichtet, dass er euch begegnet ist. Deshalb möchte ich wissen, für wen ihr arbeitet. Raus mit der Sprache!" Der Mann machte einen Schritt auf Lilo zu und packte sie hart am Arm. Als Luna zu Hilfe kommen wollte, herrschte er sie an: „Und Sie halten sich raus, verstanden?"

GRÜNER RAUCH

„Das … das ist ein Missverständnis, lassen Sie mich los!" Lilo versuchte sich dem harten Griff zu entwinden. Der Mann sah sie finster an.

Lässig kam Axel die Treppe herunter. Lilo warf ihm einen Hilfe suchenden Blick zu, aber er schien überhaupt nicht zu bemerken, was hier los war. Unbeirrt ging er zur kleinen Rezeption, beugte sich über den Tresen und holte den Telefonapparat herauf. Er hob ab und fragte die geschockte Luna: „Wie lautet die Nummer der Polizei?"

Augenblicklich ließ der Mann Lilo los. „Lass das, nicht!", sagte er energisch. „Tut mir Leid, ich … ich bin wohl über das Ziel geschossen. Es ist nur … Su und Leon sind meine Freunde … ich weiß nicht, was mit ihnen geschehen ist. Und in Sus Kalender steht dieser Termin mit vier Kindern aus Europa. Und heute Morgen hat mich Leon angerufen und ebenfalls von vier Kindern berichtet."

Axel legte den Hörer wieder auf und stellte sich neben Lilo.

„Wo … wo sind die anderen?", wollte der Mann wissen.

„Wir … kommen Sie nach hinten in den Garten. Dort können wir reden", schlug Lilo vor.

„Werde ich noch gebraucht?", erkundigte sich Luna.

Lilo schüttelte kurz den Kopf.

„Gut, ich muss nämlich dringend in den Keller und die Wäsche machen."

Axel lief auf die Straße und holte Poppi und Dominik herein. Die beiden standen bei einem schäbigen Geländewagen, auf den ein bunter Schriftzug gepinselt war.

Im Garten setzte sich die Knickerbocker-Bande mit dem Mann an einen Tisch. Suchend sah er sich um. „Gibt es hier keine Urne?"

„Urne?" Die Knickerbocker verstanden nicht, was er meinte.

„Na, einen Aschenbecher!", erklärte der Mann.

Dominik erinnerte sich, einen in der Halle gesehen zu haben. Er sprang auf und holte ihn.

„Ihr … ihr habt also nichts mit dem Verschwinden zu tun?", begann der Mann.

„Nein, wirklich nicht!", sagten die vier entschieden.

„Wieso wart ihr dann bei Su und auch bei Leon? Kann ich das wissen? Ich … ich will die beiden so schnell wie möglich wieder finden. Die Polizei unternimmt nämlich nichts!"

Poppi blickte den Mann nachdenklich an. Seine Stimme kam ihr irgendwie bekannt vor. Warum bloß?

Gemeinsam berichteten die vier Freunde, was sie wussten. George Cluny hörte ihnen aufmerksam zu und leerte dabei seine Hosentaschen. Papierkugeln, alte Kaugummis und anderes unappetitliches Zeug rieselte in den Aschenbecher.

Poppi erzählte gerade von den beiden Männern mit den Booten, als Mister Cluny stutzte. Er runzelte die Stirn und deutete auf den Aschenbecher. „Seht euch das einmal an!"

Neugierig beugten sich die vier Knickerbocker-Freunde vor. Als ihre Gesichter ganz nahe beim Aschenbecher waren, drückte George Cluny die Glut seiner Zigarette in den Mist, den er dort hineingestopft hatte. Gleich darauf gab es ein scharfes, hohes Zischen und eine grünliche Rauchwolke stieg auf. Axel, Lilo, Poppi und Dominik bemerkten zu spät, dass der Mann rasch zurückwich und sich wegdrehte. Ein süßlicher Geruch stieg ihnen in die Nase und von dort sofort in den Kopf. Er schien sich in ihren Gehirnwindungen auszubreiten und ihre Gedanken zu vernebeln. Sekunden später waren alle vier betäubt.

Der Mann, der in Wirklichkeit natürlich nicht George Cluny hieß und auch kein Freund von Su Linta und Leon Askeno war, grinste triumphierend. Er warf sich Axel und Poppi über die Schultern und trug sie nach draußen in den Geländewagen. Danach holte er Dominik und Lilo. Bevor er endgültig ging, ließ er den Aschenbecher in einer kleinen Plastiktüte verschwinden. Das Betäubungsmittel war bisher noch unbekannt und sollte niemandem in die Hände fallen.

Mittlerweile wurde es Nacht auf Komodo. Der Mann schaltete die Wagenscheinwerfer ein und fuhr über die holprige Schotterstraße zum Haus von Dr. Linta. Er lenkte den Wagen so nahe wie möglich an den Landesteg, wo bereits das Schlauchboot auf ihn wartete. Bevor er den Motor abstellte, betätigte er die Lichthupe: dreimal kurz, zweimal lang. Vom Boot kam sofort ein Blinkzeichen zurück: einmal lang, zweimal kurz.

Der Mann stieg aus und ging auf den Steg hinaus. Zwei Burschen sprangen aus dem Boot, stellten sich stramm vor ihn und salutierten. Sie trugen graue Overalls und geschnürte Lederstiefel.

„Sie sind im Wagen, schafft sie an Bord und zur Insel. Der General bestimmt, was mit ihnen geschieht!", kommandierte der Mann.

„Sehr wohl, Herr Leutnant!", riefen die beiden und gingen mit zackigen Schritten zum Wagen. Sie holten die Knickerbocker einzeln heraus und legten sie am Steg ab. Die Körper der vier Freunde waren schlaff und völlig kraftlos.

Der Mann, den sie als Leutnant angesprochen hatten, kehrte zum Wagen zurück und schloss die Ladeklappe. Er verabschiedete sich mit einem kurzen Nicken und fuhr davon. Als sich die Autoscheinwerfer entfernten, wurde es stockdunkel am Steg. Der Schein der Lampe an Bord des Schlauchbootes war schwach und reichte nicht einmal über die Bootswand.

Die Burschen schleppten die Knickerbocker zu der Stelle, an der sie angelegt hatten, und hoben sie an Bord. Einer ließ den Motor an, während der zweite einen kleinen Handscheinwerfer auspackte und sich damit in den Bug setzte. Seine Aufgabe war es, auf das Wasser zu leuchten. Treibholz und Bojen

konnten für das Schlauchboot gefährlich sein
die Gummiwand aufritzen. Deshalb hatte der jun,
Mann mit dem Scheinwerfer die verantwortungs
volle Aufgabe, nichts zu übersehen und Hinder-
nisse sofort zu melden.

Brummend verschwand das Schlauchboot in der
Dunkelheit.

Die Burschen hatten während der ganzen Zeit
kein Wort gesprochen. Sie waren auch nicht auf die
Idee gekommen zu überprüfen, ob sie alle vier Knickerbocker im Boot hatten. Deshalb war ihnen auch
entgangen, dass Axel noch immer auf dem Steg lag.

OPERATION SCHATZSUCHE

Etwas Heißes legte sich tonnenschwer auf Axels Rücken. Er versuchte sich aufzurichten, aber das heiße Gewicht drückte ihn nieder. Es brannte auf seiner Haut wie glühende Kohlen. Axel rollte sich stöhnend zur Seite, spürte entsetzt, wie der Boden unter ihm verschwand, und stürzte über eine Kante in die Tiefe. Kühles Wasser schlug über ihm zusammen und drang in seine Nase und seinen Mund.

Nach einer Schrecksekunde schlug er mit den Armen um sich, strampelte und versuchte sich wieder nach oben an die Luft zu kämpfen.

Aber wo war oben? Er konnte sich nicht orientieren. Rund um ihn schien es nur Salzwasser zu geben, das in seinem Hals wie Feuer brannte.

„Ruhig bleiben, einen Augenblick lang ruhig bleiben", schoss es Axel durch den Kopf. Vielleicht bewegte sich sein Körper dann von allein nach oben. Er wartete Sekunden, die ihm wie Stunden vorkamen. Luft, er brauchte dringend Luft. Er konnte nicht mehr warten. Gleich würde sein Körper von selbst einatmen und Salzwasser in die Lunge pumpen, dann war es zu spät.

Erst jetzt bemerkte der Knickerbocker, dass er die Augen geschlossen hatte. Er zwang sich, sie zu öffnen.

Licht! Rechts über ihm war Licht. Dort musste er hin. Zwei Schwimmzüge und er hatte es geschafft. Sein Kopf durchstieß die Wasseroberfläche. Keuchend rang er nach Luft, hustete und spuckte. Irgendwie schaffte er es, zum Ufer zu kraulen und sich an Land zu ziehen. Noch immer heftig schnaufend kauerte er da und versuchte einen klaren Gedanken zu fassen.

Das Heiße auf seinem Rücken war die Sonne gewesen. Sie stand bereits hoch über ihm am Himmel und glühte unerbittlich herab. Sie hatte den Stoff seines T-Shirts aufgeheizt. Die Haut darunter brannte. Ein Sonnenbrand. Aber der war jetzt Axels geringstes Problem.

Er sah sich um, erkannte den langen Steg und das pyramidenförmige Haus von Dr. Linta.

Wie war er hierher gekommen?

Stück für Stück tauchten in seinem Kopf wieder die Ereignisse des Abends auf. Er sah sich mit seinen Freunden um einen Tisch sitzen. Aber die grässliche Rauchwolke schien noch immer in seinem Kopf zu hängen und ihn müde und schlapp zu machen.

Aber wo waren die anderen? Wo waren Lilo, Poppi und Dominik? Er öffnete den Mund und rief ihre Namen. Seine Stimme verhallte ungehört. Keine Antwort. Keine Reaktion.

Axel schleppte sich in den Schatten eines Baumes. Was sollte er nur tun?

Fast zur gleichen Zeit erwachten auch die anderen drei Knickerbocker. Rund um sie war es brütend heiß. Die Luft roch nach verfaulten Pflanzen. Das Licht fiel nur in dünnen Streifen auf sie. Als Lilo die Augen öffnete, sah sie glitzernden Staub vor sich in der Luft tanzen.

„Lilo?", kam Dominiks Stimme von der Seite. „Lebst du?"

„Ja, aber mir tut alles so schrecklich weh", stöhnte Lilo. In ihrem Kopf brummte es, als hätte jemand mit dem Hammer darauf geschlagen. „Was ist mit Poppi und Axel?", wollte sie wissen.

„Ich bin da", meldete sich Poppi piepsig.

„Axel ist nicht da!", sagte Dominik mit Grabesstimme.

„Was?" Lilo richtete sich auf, bereute es aber sofort. Das Pochen hinter ihrer Stirn warf sie fast wieder um.

„Wir … wir sind eingeschlossen … in einer Kiste!", erklärte Dominik, der am längsten wieder bei Bewusstsein war.

„Aber … wo sind wir? Wieso sind wir hier eingesperrt?", murmelte Lilo.

Die Junior-Detektive erinnerten sich nun auch an den Mann, der im Hotel aufgetaucht war. Sie waren ihm auf den Leim gegangen. Doch wo hatte er sie hingebracht? Lilo richtete sich auf und sah sich um.

Sie saß in einer riesigen Kiste. Die Grundfläche hatte die Größe eines Badezimmers, doch die Kiste war nicht hoch genug, um darin zu stehen.

Durch eine breite Ritze zwischen den Brettern spähte Lilo nach draußen.

„Was siehst du?", wollte Dominik wissen.

„Zelte … Militärzelte … und … Leute in Tarnanzügen … Männer …", berichtete Lilo leise.

„Soldaten?", wunderte sich Dominik.

Lilo zuckte mit den Schultern. „Ich würde eher sagen, Kämpfer. Oder eine Sondereinheit. Sie haben keine Waffen, soweit ich das erkennen kann."

„Wieso haben sie uns in diese Kiste gesperrt?", wimmerte Poppi. Die Hitze war kaum zu ertragen, und sie hatte ständig das Gefühl, zu wenig Luft zu bekommen. Sie musste hier raus.

Beine in straffen Kakihosen und Stiefeln erschienen vor der Kiste. Lilo hätte gerne gesehen, wem sie gehörten, aber die Ritzen zwischen den Brettern waren zu schmal.

Neben den Beinen tauchte noch jemand auf. Die Absätze der Schuhe wurden zusammengeschlagen und von oben kam eine junge Stimme: „Herr General, melde mich zur Stelle."

Die Beine in den straffen Hosen schienen dem General zu gehören. „Johnson, wieso wurden diese Kinder hergebracht?"

„Befehl von Leutnant Trasher. Sie sollen entscheiden, was mit ihnen geschieht", erwiderte der andere zackig. Die Männer redeten Englisch miteinander, doch Lilo verstand das meiste. Ausnahmsweise war sie einmal froh, in der Schule aufgepasst zu haben.

„Ich soll das tun? Wie stellt er sich das vor? Was haben wir mit den anderen beiden Mitwissern gemacht?"

Der Soldat zögerte mit der Antwort. „Wir haben nie … also …"

„Wieso stottern Sie so herum? Sagen Sie schon!"

Ein Dritter kam dazu, grüßte ebenfalls zackig und erstattete eine Meldung: „Die Operation Schatzsuche kann beginnen."

Der General schien sehr zufrieden. „Endlich. Geben Sie den Befehl zu starten. Ich komme sofort. Vorher muss ich aber noch etwas erledigen."

Die drei Knickerbocker hielten die Luft an. Jetzt würde also über ihr weiteres Schicksal entschieden werden.

Axel überlegte angestrengt, was er unternehmen sollte. Am meisten beschäftigten ihn die Fragen, wieso er auf dem Steg vor dem Haus von Dr. Linta aufgewacht war und was mit seinen Freunden geschehen war.

Zum Hotel zurück, war die einzige Idee, die ihm kam. Er kämpfte sich in die Höhe und schüttelte sich wie ein Hund. In der Sonne würden seine Klamotten schnell trocknen.

Vor dem Eingang des Hauses blieb er stehen. Dr. Linta hatte doch ein Telefon. Er konnte genauso gut im Hotel anrufen und Joe mitteilen, wo er sich befand. Axel fand den Gedanken wirklich gut, doch die Idee hatte einen Haken: Er wusste die Telefonnummer des Hotels nicht.

„Vielleicht finde ich ein Telefonbuch im Haus!", sagte er zu sich. Die Tür stand noch immer eine Handbreit offen. Er drückte sie auf und betrat den Wohnraum.

Der Telefonapparat war fort. Die Steckdose, an die er angeschlossen gewesen war, war leer. Axels Blick fiel auf die Treppe. Er tappte in das obere Stockwerk, in dem Dr. Lintas Arbeitszimmer untergebracht war.

„Oh Mann!", stöhnte er. Das Zimmer war total verwüstet. Alle Bücher waren aus den Regalen gerissen worden, die Laden des Schreibtisches auf den Boden geleert. Wer auch immer hier gewütet hatte, hatte es sehr gründlich getan. War es nur Vandalismus? Oder hatte jemand etwas gesucht?

Das Telefon war unauffindbar, und deshalb stieg er noch einen Stock höher in das Schlafzimmer der Forscherin. Eine Mulde an der Bettkante zeigte an, dass dort jemand gesessen hatte. Da die Mulde tief und breit war, dachte Axel sofort an Leon Askeno. Der Telefonapparat stand auf dem Nachttisch. Professor Askeno schien ihn mit nach oben genommen zu haben.

Axel hob den Hörer ab und hielt ihn ans Ohr. Gleich darauf ließ er ihn wieder sinken. Es war kein Ton zu hören, obwohl das Telefon eingesteckt war.

Da fiel ihm wieder ein, dass der Professor gesag
hatte, dass das Telefon kaputt war.

„Oh nein!", seufzte er und ließ sich nach hinten
auf das Bett sinken. Er streckte die Arme aus und
seine rechte Hand rutschte dabei unter das Kopfkissen.

Er stutzte. Was war das? Axel zog ein aufgeschla-
genes Buch hervor. Wieso hatte Su Linta es unter
das Kopfkissen gelegt? Hatte sie vielleicht darin ge-
lesen? Das Buch war in Englisch geschrieben, und
Axel verstand zuerst kein Wort. Er warf einen Blick
auf den Titel und hob die Augenbrauen. Sonderbar.
Wieso interessierte sich Dr. Linta für …? Augenblick mal! Axel ging ein Licht auf.

GESCHLOSSEN!

Der Mann, den alle mit General ansprachen, stand noch immer neben der Kiste, in der Lilo, Poppi und Dominik gefangen gehalten wurden.

„Ich glaube, er funkt", hauchte Dominik.

Von oben kamen klickende Geräusche, dann ein Rauschen und Sprachfetzen. „General Kron ruft Dr. Loser!", hörten sie ihn sagen.

„Hier Dr. Loser, bitte kommen", meldete sich eine krächzende Stimme.

„Wir haben hier drei Kinder. Unerwünschte Augenzeugen. Können Sie die gebrauchen?"

„Gebrauchen?" Lilo verzog das Gesicht. Was sollte das denn heißen, „gebrauchen"?

„Sind als Testpersonen geeignet", kam als Antwort.

Die drei Knickerbocker zuckten erschrocken zusammen. Testpersonen? Das klang fürchterlich. Getestet wurden nur Dinge, von denen man nicht genau wusste, was sie bewirkten. Was sollte an ihnen denn ausprobiert werden?

„Gut, ich veranlasse alles!", erklärte der General. „Over and out!" Er wechselte mit dem Mann namens Johnson ein paar Worte und ging dann mit steifen Schritten davon.

„Ich will hier raus!", flüsterte Dominik.

„Was meinst du, was wir wollen? Hier mindestens noch zwei Jahre verbringen und rauschende Partys feiern?", zischte Lilo.

Poppi hatte das Gesicht an die Bretter gepresst und starrte durch eine Ritze. „Alle gehen weg!", meldete sie. „Im Laufschritt sogar."

„Dann ist die Gelegenheit mehr als günstig abzuhauen", stellte Lilo fest. „Zuerst kontrolliert, ob wir bewacht werden. Lautet die Antwort Nein, müssen wir ein Brett lockern, und dann nichts wie weg."

„Brett lockern, klar!", spottete Dominik. „Ich wünsche dir viel Spaß. Das schaffen wir nie!"

„Dann haben wir ein Problem!", brummte Lilo. Beim Gedanken an das, was sie gerade gehört hatte, erschauerte sie sogar im Nachhinein. Allerdings hatte Dominik Recht. Das wusste sie genau.

Axel hatte das Haus wieder verlassen. Zum Telefonieren war er nicht gekommen. In Su Lintas Küche hatte er eine Flasche Eistee gefunden und mit einem Zug geleert. Er fühlte sich nun etwas besser.

Er lief über den Schotterweg nach oben bis zur großen Straße und legte zu Fuß den Weg bis zum Hotel zurück. Er hatte eine gute Orientierung und konnte sich bei jeder Kreuzung erinnern, wohin er abbiegen musste.

Es war bereits Nachmittag, als endlich der weiße, schmucklose Bau vor ihm auftauchte. Erleichtert atmete er auf. Er hatte es geschafft und würde endlich Hilfe finden. Vor allem musste sofort eine große Suche nach seinen Freunden gestartet werden.

„Durst!", dachte er. „Ich muss dringend trinken."

Als er näher an die braune doppelflügelige Holztür herankam, spürte er bereits, dass etwas nicht stimmte. Ein mit Reißzwecken angebrachter weißer Zettel erwartete ihn. Was darauf stand, konnte er aus der Entfernung aber noch nicht erkennen. Trotz seiner Erschöpfung legte er das letzte Stück laufend zurück.

Seine schlimmsten Befürchtungen wurden übertroffen. Auf dem Zettel stand mit Kugelschreiber: „Geschlossen". Axel rüttelte an der Tür, doch ohne Erfolg. Das Hotel war wirklich zu. Auch die Fensterläden an der Außenseite waren alle verriegelt.

„Nein, nein, das darf nicht sein!", stöhnte er und lief auf die andere Seite, wo sich der Garten befand.

Die Tische und Stühle waren in eine Ecke gestapelt, die Türen abgesperrt und auch hier waren alle Fensterläden zu. Mit den Fäusten trommelte Axel gegen das dicke Holz der Gartentür.

Aber niemand schien ihn zu hören. Keiner kam und öffnete. Wieso? Warum waren alle weg? Wieso nahm Luna das Verschwinden der Knickerbocker-Bande einfach so hin? Steckte sie mit den Gaunern unter einer Decke?

Axel wischte sich mit der Hand über die Augen. Tränen liefen ihm über das Gesicht. Er hatte sich noch nie in seinem ganzen Leben so allein gelassen und einsam gefühlt.

Schluchzend stolperte er über einen schmalen Weg, der rund um das Haus führte, zurück auf die Straße. Er kam an einem gemauerten Verschlag vorbei, in dem die grauen Müllsäcke bis zur Abholung gelagert wurden.

Im Hotel schien gründlich aufgeräumt worden zu sein. Mehrere prallvolle Säcke waren übereinander aufgetürmt. Einer war aufgeplatzt. Axel traute seinen Augen nicht, als er sah, was aus dem Sack herausquoll.

Die Kiste mit den drei gefangenen Knickerbocker-Freunden war unbewacht zurückgeblieben. Poppi übernahm die Aufgabe, von Ritze zu Ritze zu kriechen und nach draußen zu spähen. Sobald sich jemand näherte, sollte sie das melden. Lilo und Dominik klopften ein Brett nach dem anderen ab, in der Hoffnung, eines könnte locker sein.

Die Hitze in der Kiste wurde immer schlimmer.

Die Sonne glühte unerbittlich von oben auf das Holz. Es war wie in einem Backofen.

„Hier, sieh dir das an!", flüsterte Dominik und deutete auf eine Ecke. Lilo kam sofort zu ihm. Dominik presste beide Hände gegen ein schmales Brett. Das untere Ende war nicht festgenagelt und ließ sich nach außen drücken.

„Kommt jemand?", fragte Lilo Poppi leise.

„Nein!", hauchte diese zurück.

Lilo setzte sich so, dass sie ein Bein gegen die lose Latte stemmen konnte. Sie trat kräftig nach vorn und das Brett brach krachend in der Mitte durch.

„Viel zu schmal, da kommen wir nicht durch", flüsterte Dominik.

„Alter Schwarzseher, futtre nicht so viel, dann schaffst du es!", spottete Lilo. Natürlich hatte Dominik Recht, aber wenn sie ein Brett geschafft hatten, würden sie auch noch weitere rausbrechen können. Lilo rutschte ein Stück weiter und begann gegen die nächste Latte zu treten. Sie erwies sich als bedeutend stabiler und gab keinen Millimeter nach.

„Mist!", fluchte Lilo.

„Aus!", zischte Poppi. „Es kommt jemand."

Bereits Sekunden später wurde über ihnen eine Klappe geöffnet. Das grelle Sonnenlicht fiel herein und blendete sie. Jemand beugte sich über die Öffnung und befahl ihnen in sehr unfreundlichem Ton sofort aufzustehen. Nur sehr langsam erhoben sich die drei. Sofort wurden sie von starken Händen gepackt und hochgehoben.

„Wir schaffen sie zu den anderen!", hörten sie Johnson sagen, der vorher mit dem General gesprochen hatte.

Ihre Augen hatten sich mittlerweile an das gleißende Licht gewöhnt. Lilo, Poppi und Dominik sahen ein Lager, das aus mehreren Zelten mit schwarz-braun-olivgrünem Tarnmuster bestand. In das Buschwerk des nahen Waldes war ein Weg geschlagen worden.

Poppi gab Lilo einen Stoß mit dem Ellbogen. „Du, ich weiß jetzt wieder, wieso mir die Stimme des Mannes, der ins Hotel gekommen ist, so bekannt vorkam. Ich habe sie im Haus von Mister Krok gehört."

Lilo verzog den Mund. „Das hätte dir auch früher einfallen können."

Entschuldigend zuckte Poppi mit den Schultern und machte ein verlegenes Gesicht.

Dominik deutete mit dem Kopf auf einen der Männer. Er hatte ungewöhnlich lange Arme und Beine und erinnerte an einen Menschenaffen. Es war der Mann, der ihnen am Flugplatz das Märchen von der Komodowaran-Fütterung aufgetischt hatte. „Mitkommen!", befahl er.

„Wo bringen die uns hin?", fragte Dominik leise.

Lilo hatte keine Ahnung. An Flucht war jedenfalls nicht zu denken. Drei starke Männer führten sie. Ihre Gesichter waren alles andere als freundlich. Sie schubsten die Knickerbocker auf einen schmalen Trampelpfad, der zu einem Hügel führte.

„Wo sind wir hier?", wunderte sich Lilo.

Dominik deutete mit dem Kopf nach rechts. Zwischen den Bäumen war das Meer zu sehen. Die Wellen glitzerten wie flüssiges Silber in der Sonne. In der Ferne sah Lilo eine große bewohnte Insel. Es musste sich um Komodo handeln.

„Wir sind auf Su Lintas Forschungsinsel. Darauf wette ich", raunte Dominik den Mädchen zu.

Lilo gab ihm Recht. Sie warf einen Blick zur Sonne und war froh, eine Uhr mit Zeigern zu tragen. Es gab nämlich einen Trick, durch den sie mithilfe der Zeiger und der Sonne die Himmelsrichtungen feststellen konnte.

„Wir sind diesmal im südlichen Teil der Insel, wo eigentlich die Komodowarane leben", flüsterte sie den anderen zu.

„Die Hüter des Schatzes", murmelte Poppi.

Das Unternehmen, das hier ablief, hatte den

Codenamen „Schatzsuche". Gab es ihn tatsächlich, den sagenhaften Schatz? War der glühende Ball, der vom Himmel gefallen war, ein Hinweis darauf?

Lilo sah zu den Männern in den grünen Overalls. Wie Schatzsucher wirkten sie nicht. Eher wie die Mitglieder eines Spezialkommandos.

„Was ist nur mit Axel geschehen?", fragte Poppi leise.

„Es wird nicht gesprochen!", herrschte sie einer der Männer an. Erschrocken senkten die drei Knickerbocker die Köpfe.

COMPUTERIRRTUM

Axel starrte noch immer auf den aufgeplatzten Sack. Er enthielt die Klamotten und Reisetaschen der Knickerbocker-Bande. Die Sachen waren achtlos hineingestopft und weggeworfen worden.

„Als wollte jemand alle Spuren vernichten, die auf uns hindeuten", fiel Axel ein. Trotz der Hitze kroch ihm eine Gänsehaut über den Rücken.

„Wieso? Warum? Weshalb macht jemand das?", ging es Axel immer wieder durch den Kopf. Er konnte noch immer nicht verstehen, warum Luna und ihre Familie verschwunden waren und das Hotel geschlossen hatten. Am Abend hatte es keine Anzeichen dafür gegeben. „Und wo ist Joe? Wieso sucht er nicht nach uns?"

Damit die Sachen der Bande nicht verschwanden,

holte Axel den Müllsack aus dem Verschlag und brachte ihn zu einer Nische neben der Hotelküche. Er versteckte ihn hinter einem Stapel Holzkisten. Wenn die anderen in Sicherheit und die Knickerbocker-Freunde wieder vereint waren, konnten sie alles abholen.

Wenn, ja wenn alle wieder heil beisammen waren. Wo sollte Axel seine Freunde suchen? Wo konnte er suchen?

Auf einmal fiel ihm das Haus von Mister Krok ein. Poppi hatte dort die Männer in Schutzanzügen beobachtet. Joe war auch dort gewesen. Axel beschloss, ebenfalls hinzugehen. Bestimmt kreuzte Joe irgendwann auf. Axel musste dann herausfinden, auf welcher Seite Joe stand und für wen er arbeitete.

Aus seiner Hosentasche holte Axel sein ganzes Geld. Es war eine Menge. Er hatte nämlich noch nichts gekauft, seit sie auf Komodo angekommen waren. Er beschloss, ein Taxi zu nehmen und sich zum Haus von Mister Krok fahren zu lassen. Der Taxifahrer würde schon wissen, wo es sich befand.

Der Plan ging auf. Eine Stunde später stieg Axel vor der Einfahrt zu einem riesigen Grundstück aus. Er bezahlte den Fahrer und bedankte sich. Das Anwesen war von einem hohen weißen Metallzaun umgeben. Auf dem Hügel, der sich hinter dem Zaun erhob, sah Axel das ultramoderne Haus, von dem Poppi berichtet hatte.

Vorsichtig trat er an die weiß gestrichenen Metallstangen. Standen sie unter Strom? Warnschilder gab es nicht. Also riss er eine Grünpflanze ab und schlug damit prüfend gegen den Zaun.

Nichts geschah. Mutig geworden fasste Axel die Stangen an und schob sich seitlich durch. Zum Glück war er dafür schlank genug. Auf allen vieren huschte er den Hügel hinauf und ging hinter einer Baumgruppe in Deckung. Von hier aus hatte er einen guten Blick auf das Haus. Die Sonne spiegelte sich in den riesigen Glasscheiben und machte es unmöglich, in die Räume zu sehen. War jemand hier?

Hinter Axel surrte und knirschte etwas am Fuße des Hügels. Er drehte sich erschrocken um und musste sein Versteck verlassen, um einen Blick nach unten werfen zu können.

Joes Jeep kam den Zufahrtsweg herauf. Erleichtert atmete Axel auf. Endlich hatte er ihn gefunden. Er machte ein paar Schritte nach vorn und hob die Hand, um zu winken.

Der Geländewagen hielt und die Fahrertür wurde aufgerissen. Doch der, der ausstieg, war nicht Jo.

Die Männer auf der Insel brachten Lilo, Dominik und Poppi auf einen steilen Felsen. Es führte nur ein einziger, sehr schmaler Pfad nach oben. Als sie endlich die Spitze erreicht hatten, waren die drei Knickerbocker völlig außer Atem und in Schweiß gebadet.

Auf dem Hügel befand sich eine Plattform, von der aus man einen herrlichen Blick über einen großen Teil der Insel und zum Meer hatte. Gegen einen Stein gelehnt, kauerten dort Dr. Linta und Professor Askeno. Beide sahen sehr blass und erschöpft aus. Als die drei Knickerbocker gebracht wurden, sprangen sie erschrocken auf.

„Nein, nicht ... nicht die Kinder!", flehte Su die Männer an. Diese aber zeigten keinerlei Reaktion und stießen sie nur sehr grob beiseite. Sie befahlen den dreien sich zu setzen und verließen die Plattform wieder.

Lilo schlich ihnen ein Stück nach, um zu sehen, ob der Weg frei blieb.

„Keine Chance, sie lassen immer einen da, der uns bewacht!", sagte Dr. Linta schwach.

Poppi spähte vorsichtig über eine Felskante. Fast senkrecht ging es viele Meter in die Tiefe. Klettern war unmöglich und ein Sprung konnte nur tödlich enden.

„Wer sind diese Leute? Und welche Versuche haben sie mit uns vor?", platzte Lilo heraus.

Su Linta schüttelte traurig den Kopf. „Fragt besser nicht. Und erst mal willkommen. Ich hatte gehofft, dass wir uns unter erfreulicheren Umständen wiedersehen würden."

Die Junior-Detektive sahen ein, dass es keine Fluchtmöglichkeit gab, und ließen sich vor den Forschern auf den Boden sinken.

„Was ist hier auf der Insel los? Sie kennen doch den Grund für die ganze Aufregung!" Lilo starrte Leon Askeno fragend an.

Der Wissenschaftler seufzte tief. „Eine kleine Sensation könnte hier zur größten Katastrophe für die Erde werden."

Poppi schlug die Hände vor den Mund. Das hörte sich ja entsetzlich an.

„Was … was meinen Sie damit?", wollte Dominik wissen.

Professor Askeno deutete zum Inneren der Insel. „Seht ihr den großen schwarzen Fleck?"

Die Junior-Detektive reckten die Köpfe. Sie erkannten, was der Professor meinte. Ungefähr einen Kilometer entfernt befand sich in einer Talsenke ein fast kreisrunder schwarzer Fleck. Er zog sich über einen bewaldeten Teil und Grasland.

„Hat es dort gebrannt?", fragte Lilo.

„Dort hat ein riesiger Meteorit eingeschlagen", erklärte Leon Askeno.

„Der Feuerball! Mister Gall hat also tatsächlich eine Sternschnuppe gesehen", sagte Dominik.

„Sind Außerirdische mit dem Meteoriten gekommen?", fragte Poppi aufgeregt.

Professor Askeno runzelte fragend die Stirn. „Wie kommst du darauf?"

„Na ja, wegen des Schatzes, der hier versteckt liegt. Angeblich ist er aus Europa gebracht worden. Vielleicht aber handelt es sich um etwas, das Außerirdische versteckt haben!"

Leon Askeno und Su Linta warfen einander verwunderte Blicke zu. „Wisst ihr vielleicht mehr als wir?", fragte Dr. Linta.

„Das sind nur die Ergebnisse unserer Nachforschungen", erklärte Dominik. Trotz Angst und Sorge war er stolz, was die Knickerbocker-Bande alles herausgefunden hatte.

„Sollen wir es den Kindern überhaupt sagen?", flüsterte Professor Askeno Dr. Linta zu.

Lilo hasste es, wie ein Baby behandelt zu werden. „Wir sind keine dämlichen Kinder, vor denen man etwas verheimlichen muss!", sagte sie aufgebracht. „Wir wollen endlich wissen, was hier los ist!"

Nach kurzem Nachdenken entschied sich Professor Askeno, den dreien zu erklären, was er wusste. „Euch ist sicherlich bekannt, dass gleichzeitig mehrere Raumsonden unterwegs sind. Sie fliegen durch das All und steuern zum Beispiel den Mars, die Venus und andere Planeten an."

Die Junior-Detektive nickten.

„Das Weltraumzentrum, für das ich arbeite, hat Raumsonden ins All geschickt, die Meteoriten ausspähen sollen. Meteoriten sind Gesteinsbrocken, die durch den Weltraum fliegen. Geraten sie in die Nähe eines Planeten wie der Erde, werden sie angezogen und tauchen in die Lufthülle, die Atmosphäre, ein. Durch die Reibung in der Luft werden die Meteoriten stark erhitzt, und viele verglühen vollständig und erreichen nie den Boden."

„Das sind dann Sternschnuppen, die man am Abendhimmel sieht!", warf Dominik ein.

Professor Askeno nickte. „Einige Meteoriten sind aber so groß, dass sie auf der Erde einschlagen. Ein Riesenmeteorit soll vor Millionen Jahren zum Beispiel die Saurier ausgerottet haben. In der Wüste wurden Krater gefunden, die zweifellos von Meteoriten stammen. Durch den gigantischen Druck beim Aufprall sind sogar winzige Diamanten am Kraterrand entstanden."

Mit offenem Mund hörten die drei Knickerbocker zu. Für ein paar Augenblicke vergaßen sie, in welch schlimmer und aussichtsloser Lage sie sich befanden.

„Unsere Raumsonden haben bereits vor einiger Zeit einen Meteoriten gemeldet, er sich auf die Erde zu bewegte. Die Sonden können mithilfe modernster Geräte einen solchen Meteoriten näher untersuchen. Die Daten, die uns gefunkt wurden, waren unglaublich. Wir haben sie lange für einen Computerirrtum gehalten."

„Wieso? Was für Daten?", wollte Lilo wissen.

„Leider ist mir erst jetzt klar geworden, dass unsere Computersysteme absolut nicht sicher sind. Wahrscheinlich wurden die Daten und Ergebnisse unserer Raumsonden schon lange Zeit auch von anderen ausgewertet. Heute weiß ich, dass wir es nicht mit einem Irrtum zu tun hatten, sondern mit einer Entdeckung, die niemals in falsche Hände hätte fallen dürfen!" Professor Askeno seufzte tief und wischte sich mit den Händen über das Gesicht. Gespannt blickten ihn die Knickerbocker an. Um was für Daten handelte es sich? Was war an diesem Meteoriten so Besonderes?

Ein Knirschen zeigte das Eintreffen mehrerer Männer an. Sie gaben den beiden Wissenschaftlern und den Knickerbockern mit dem Kopf ein Zeichen mitzukommen.

„Nein, ich will nicht!" Poppi blieb sitzen und schüttelte energisch den Kopf. Die Männer packten sie und zogen sie in die Höhe. Einer warf sie wie einen Sack über die Schulter.

„Was … was machen die mit uns?" Dominik konnte kaum noch sprechen vor Angst.

Su Linta legte die Arme um ihn und Lilo. „Wir … wir bleiben zusammen. Wir sind bei euch." Ihre Hände waren schweißnass und sie zitterte am ganzen Körper.

„Wir … wir wollen den Kommandanten dieses Unternehmens sprechen!", verlangte Leon Askeno. Doch die Männer reagierten nicht.

Einer von ihnen, Johnson, trat so dicht vor den Professor, dass dieser erschrocken zurückwich, und sagte drohend: „Befehle geben nur wir. Sie gehorchen, alles andere könnte schlimme Folgen für Sie haben."

„Schlimmer als das, was Sie mit uns vorhaben?", schrie der Professor.

Lilo, Poppi und Dominik starrten ihn entsetzt an. Was sollte das bedeuten? Die Angst machte sie steif und schwach. Doch es blieb ihnen nichts anderes übrig, als die Befehle der Männer zu befolgen.

DER TEST BEGINNT

Axel hockte hinter den Büschen vor der Villa von Mister Krok und krümmte sich. Er hatte schreckliche Bauchschmerzen und musste dringend auf die Toilette. Doch im Augenblick wagte er es nicht, sich zu bewegen.

Aus dem Wagen war der dürre Mann mit dem Wachsgesicht gestiegen, den sie mit Joe am Flugplatz reden gesehen hatten. Er knallte die Wagentür zu und ging mit eckigen Schritten auf das Haus zu.

Der Mann wohnte offensichtlich in dem Haus, auf das Joe aufpassen sollte, und fuhr auch noch seinen Wagen. Es gab keinen Zweifel. Joe und er steckten unter einer Decke. Nur mit Mühe kämpfte Axel die Tränen zurück. Er schlich geduckt weiter und hielt sich dabei ständig hinter den Bäumen und Büschen versteckt. Auf diese Weise gelangte er zur Rückseite des supermodernen Hauses, wo das Segeldach bis zum Boden reichte. Axel sah einen Swimmingpool, eine kleine Bar und daneben ein Häuschen, dessen Tür offen stand. Er huschte hinein und atmete erleichtert auf, als er eine Toilette entdeckte.

Sein Herz raste noch immer. In seinem Bauch schien eine Feuerkugel zu rotieren. Trotzdem versuchte er einen klaren Gedanken zu fassen.

„Spuren beseitigen", fiel ihm ein. Es war ein fürchterlicher Gedanke, aber er leuchtete ihm ein. „Wir wissen zu viel und deshalb mussten wir verschwinden. Genau wie Dr. Linta und der Professor. Alle unsere Spuren wurden beseitigt, unsere Sachen einfach weggeworfen, als wären wir nie im Hotel gewesen."

Was aber war den Leuten von der Zeitung gesagt worden? Was hatte man den Eltern der Knickerbocker mitgeteilt? Dachten sie vielleicht, die vier wären auf der Insel der Komodowarane verunglückt? Oder heimlich hingefahren und nie zurückgekommen? Oder …?

„Ich muss telefonieren", lautete Axels Entschluss. „Aber wo?"

Draußen hörte er Stimmen. Er schlich zur Tür

des Häuschens, das auch als Umkleidekabine und Dusche diente, und spähte zum Pool. Der Mann mit dem Wachsgesicht kam. Er ließ sich in einen Liegestuhl sinken und nahm einen großen Schluck aus einem Glas mit brauner Flüssigkeit.

Mit festen Schritten näherten sich zwei Männer in Tarnanzügen und Schnürstiefeln. Einer reichte dem Wachsgesicht ein Funkgerät.

„Für Sie, Dr. Loser! Es ist der General!", sagte einer der Männer in militärischem Tonfall.

„Hier Dr. Loser, bitte kommen!"

„Hier General Kron, der Schatz ist gesichert und abgezäunt. Wir führen die fünf Gefangenen zur Schatzinsel. Was soll weiter mit ihnen geschehen?", kam eine schnarrende Stimme aus dem Lautsprecher des Funkgerätes.

„Sie müssen die Testpersonen in unmittelbare Nähe des Schatzes bringen. Am besten wäre es, sie bekämen Körperkontakt mit ihm. Danach schaffen sie die Testobjekte in die Isolierungsstation zurück. Achtung: Ihre Männer dürfen sich ihnen dann nur noch in Schutzanzügen nähern. Jeder direkte Kontakt wäre ein Risiko, das nicht eingegangen werden darf. Falls es doch passiert, ist die Person ebenfalls unverzüglich zu isolieren."

Axel musste sich festhalten. Fünf Gefangene! Dabei konnte es sich nur um seine Freunde, Dr. Linta und Leon Askeno handeln. Aber was hatten die Leute mit ihnen vor? Wie konnte er ihnen helfen? Er wusste nicht einmal, wo sie sich befanden.

„Doch, sie sind bestimmt auf der Insel der Komodowarane! Aber die Insel ist riesig. Wie kann ich sie dort finden?", überlegte er fieberhaft.

Er musste Hilfe holen. Aber wo? An wen konnte er sich wenden? Gab es jemanden, dem er vertrauen konnte? Axel fiel niemand ein.

Das Funkgespräch war beendet. Dr. Loser behielt das Gerät bei sich. „Sie haben noch einen Auftrag zu erfüllen", erinnerte er die beiden Männer. Diese schlugen die hinteren Enden der Stiefel zusammen und salutierten. „Sehr wohl, Herr Doktor!"

Axel kauerte auf dem Boden des Häuschens und flehte, der Doktor möge endlich aufstehen und gehen. Doch dieser machte es sich im Liegestuhl bequem und nahm abermals einen Schluck seines Drinks. Axel saß fest. Er konnte das Häuschen nicht verlassen, ohne dass Wachsgesicht es bemerkte.

Seine Gedanken waren bei Lilo, Dominik und Poppi. Die drei schwebten in größter Gefahr. In Lebensgefahr, und nur er konnte ihnen helfen. Aber wie?

Die drei Männer hatten die Gefangenen wieder vom Felsen in die Ebene gebracht. Über den Weg, der ins Unterholz geschlagen war, erreichten sie ein umzäuntes Gebiet. Alle paar Meter war eine Metallstange in den Boden geschlagen worden. Ein gelbschwarz gestreiftes breites Kunststoffband spannte sich von Stange zu Stange.

Lilo schauderte. Zwischen den Bäumen sah sie in einiger Entfernung silberfarbene Schutzanzüge glänzen. Die Bewegungen der Männer in den Anzügen erinnerten an die von Astronauten auf dem Mond. Sie waren langsam und groß und nicht gerade sehr elegant.

„Ihr geht jetzt dorthin!", befahl Johnson und deutete auf die Schutzanzüge. „Dort erfahrt ihr, was weiter geschieht."

„Nein, das können Sie nicht tun! Sie sind wahnsinnig!", rief Professor Askeno.

„Lassen Sie doch die Kinder aus dem Spiel!", flehte Su Linta.

Die drei Knickerbocker wichen automatisch zurück, bereit zu flüchten. Doch sofort standen Männer hinter ihnen.

„Ihr geht nun dorthin!", wiederholte Johnson. Seine Stimme klang eiskalt und ließ keinen Zweifel offen, dass es keine andere Wahl gab.

Lilo verlor die Nerven. „Ich will endlich wissen, was los ist!", schrie sie. „Professor Askeno, sagen Sie schon, was mit diesem Meteoriten ist!" Sie schlug mit den Armen um sich und traf dabei einen der Männer. Sofort packte er ihre Handgelenke und verdrehte ihr die Arme auf den Rücken.

„Der General hat Befehl gegeben, keine Waffen einzusetzen. Doch in Notfällen können wir Ausnahmen machen!", drohte Johnson.

„Kinder kommt, wir … wir haben keine andere Wahl!", sagte Dr. Linta leise. „Kommt, bitte." Sie stellte sich hinter die drei Knickerbocker und legte schützend ihre Arme um sie. „Ich bin bei euch. Und Leon auch. Wir … wir schaffen das schon. Kommt!" Sie klang aber nicht sehr überzeugend.

Einer der Männer hob das schwarz-gelbe Plastikband. Die Knickerbocker und die beiden Forscher schlüpften unten durch und bewegten sich sehr langsam, Schritt für Schritt auf die Männer in den Schutzanzügen zu.

Diese wankten zu ihnen und umringten sie. Flüchten war unmöglich. Die silbernen Gestalten schoben sie durch den Wald.

„Keine Tiere mehr!", stellte Dr. Linta fest.

Sie hatte Recht. In den Bäumen zwitscherten keine Vögel. Nur die Insekten summten.

„Gibt es … hier Komodowarane?", erkundigte sich Poppi leise.

„Sie sind ziemlich sicher alle ans andere Ende der Insel geflüchtet. Der Aufprall des Meteoriten hat sie vertrieben!", antwortete Dr. Linta.

Dominik deutete mit dem Kopf nach oben. Die Kronen der Bäume waren schwarz und verbrannt. Es sah aus, als wäre eine Welle aus Feuer über die Bäume hinweggefegt.

Ganz plötzlich endete der Wald dann. Der Rand war wie mit dem Messer geschnitten. Vor ihnen befand sich eine weite Ebene, die völlig kahl war. Nur da und dort erinnerten verbrannte Wurzelstöcke an die riesigen Pflanzen, die sich hier befunden hatten.

Ungefähr dreihundert Meter entfernt stieg eine dünne Rauchfahne aus dem Boden. Ein schwarzer Fleck deutete darauf hin, dass sich an dieser Stelle ein Loch befand: Der Krater, den der Meteorit, der Felsbrocken aus dem All, geschlagen hatte.

Über eine Gegensprechanlage kam die Stimme eines der Männer aus dem Schutzanzug. Sie klang verzerrt und künstlich. „Begeben Sie sich bis zum Krater, verweilen Sie dort mehrere Minuten und kommen Sie dann zurück!", befahl er.

„Aber …!" Leon Askeno ließ mutlos die Schultern sinken.

„Gehen Sie!" Der Mann im Schutzanzug stieß den bulligen Forscher unsanft weiter.

„Wir haben keine andere Chance", sagte Professor Askeno leise. „Aber … aber es gibt Hoffnung für uns."

Nachdem sie einige Schritte gemacht hatten, stellte Dominik die Frage, die alle drei Knickerbocker am meisten beschäftigte. „Was ist mit dem Meteoriten los? Was ist an ihm so gefährlich?"

GEFAHR AUS DEM ALL

„Wir haben ihn gefunden!", hörte Axel eine Stimme sagen. Er beugte sich vor und spähte am Türrahmen vorbei nach draußen. Die beiden Männer waren zurück. Zwischen ihnen stand Joe. Er krümmte sich wie ein Wurm und knetete seinen alten Hut zwischen den Händen.

„Wo war er?", wollte Dr. Loser wissen.

„Am Flugplatz. Hat sich ein billiges Ticket besorgt und wollte nach Amerika!", berichtete einer der beiden Männer.

„So, so, wie interessant. Holen Sie Leutnant Trasher. Ich muss mit ihm reden. Diese Jammergestalt kann uns sicher bezüglich dieser lästigen Kinder weiterhelfen. Und lassen Sie den Wagen verschwinden, in dem ich gekommen bin. Er hat diesem Typ gehört. Am besten, Sie stürzen ihn ins Meer. Es soll wie ein Unfall aussehen."

Die beiden Männer in den Tarnanzügen traten ab. Joe blieb mit hängenden Schultern vor dem Wachsgesicht stehen und starrte auf seine Schuhspitzen.

„Sie dachten wohl, wir finden Sie nicht!", spottete der Doktor. „Da haben Sie sich aber geirrt. Schon einmal von ‚Black Cat' gehört?"

„Black Cat? Die schwarze Katze?" Joe starrte den Mann entsetzt an. „Das ist doch … eine Organisation … wie die Mafia."

„Falsch!" Dr. Loser schlug mit der Hand auf die Armstütze des Liegestuhls. „Schlimmer und besser als die Mafia. Und wenn alles klappt, sind wir bereits in Kürze mächtiger als alle anderen auf dieser Erde. Dann hört alles auf unser Kommando!"

„Wieso … wieso erzählen Sie mir das alles? Niemand … kennt doch die Leute hinter Black Cat, oder?" Joes Knie zitterten.

„Richtig. Und so wird es auch bleiben. Wir hinterlassen keine Spuren. Das ist unser oberstes Gesetz!"

Joe schluckte heftig. Er wusste, was das bedeutete. Der Mann spielte gerade mit ihm, wie die Katze mit einer gefangenen Maus, bevor sie sie verschlingt.

„Diese Kinder waren ein Problem. Vor allem müssen alle neugierigen Fragen verhindert werden. Deshalb reden Sie jetzt besser!", fuhr ihn Dr. Loser lautstark an.

Joe hob den Kopf. „Sie ... Sie haben sie weggebracht. Wohin?", wollte er wissen.

„Tun Sie nicht so, als würde Sie das interessieren. Sie haben keinen Versuch unternommen, den Kindern zu helfen. Sie wollten nur sich selbst in Sicherheit bringen!", sagte der Doktor bissig.

Axel musste ihm leider Recht geben. Joe war ein Waschlappen, ein Schlappi.

In diesem Augenblick sah Joe auf. Sein Blick fiel auf die Tür des Häuschens, in dem sich Axel versteckte. Der Knickerbocker konnte den Kopf nicht mehr rechtzeitig zurückziehen. Joe hatte ihn schon gesehen und schnappte nach Luft.

„Dumpfbacke, nicht!", flehte Axel.

„Was ist?" Dr. Loser drehte sich in Axels Richtung um. Der Junior-Detektiv war wieder in Deckung gegangen und zitterte am ganzen Körper. Sein Herz klopfte so stark und laut, dass er Angst hatte, man könnte es hören.

„Ah, unser Herr Vermieter!" Der Mann, der die Knickerbocker vor einem Tag im Hotel aufgesucht hatte, trat an den Pool und warf Joe einen spöttischen Blick zu. Leutnant Trasher war von den beiden Männern begleitet worden, schickte sie nun aber zum Flugplatz, um dort mit den Vorbereitungen zu beginnen.

Axel schöpfte Hoffnung. Vielleicht hatte dieser Dr. Loser ihn nicht gesehen.

Die Schritte der Männer entfernten sich.

„So, und was machen wir mit dieser Witzfigur?", wollte der Leutnant wissen.

„Zuerst einmal geht es um diese Kinder", begann Dr. Loser. Seine Stimme wurde lauter. Er kam näher. Er tat so, als hätte er nichts bemerkt und wollte den Lauscher im Badehäuschen überraschen. Axel saß in der Falle und es gab kein Entkommen.

Das graue, fahle Wachsgesicht des Mannes kam um die Ecke. „Wie kommt der hierher?", schrie er auf.

„Vielleicht ... vielleicht ist alles doch ein Irrtum. Das würde bedeuten ... wir ... wir sind nicht in Gefahr!", versuchte Professor Askeno die drei Knickerbocker zu beruhigen.

Dominik warf einen flüchtigen Blick über die Schulter nach hinten. Dort standen noch immer die Männer in den silbernen Schutzanzügen und starrten ihnen nach.

Die drei Freunde hatten mittlerweile ungefähr die Hälfte des Weges zum Krater zurückgelegt.

„Was ist mit dem Meteoriten, sagen Sie es endlich. Die Ungewissheit ist tausendmal schlimmer als die Wahrheit!", drängte Dominik.

Lilo und Poppi nickten zustimmend.

„Laut unseren Weltraumsonden befindet sich Leben im Gestein!", erklärte Professor Askeno.

„Leben? Kleine Außerirdische oder wie?", fragte Poppi piepsig.

„Leben! Das bedeutet, winzige Wesen, die nicht einmal unter dem Mikroskop zu sehen sind. Meldet die Raumsonde Leben, so kann das aber auch ein Virus bedeuten", fuhr der Professor fort.

„Virus? Ein Virus verursacht Krankheiten. Es können also Krankheitserreger sein, die bisher auf der Erde unbekannt sind!", kombinierte Lilo.

Leon Askeno nickte stumm.

Poppi wurde klar, wieso man sie zum Krater schickte. „Wir … wir sind die Testpersonen, an denen ausprobiert werden soll, wie sich das Virus auswirkt", flüsterte sie. Ihr Hals war wie abgeschnürt.

Dominik erkannte die unfassbare Gefahr, in der nicht nur sie sich befanden. „So ein Virus aus dem All könnte als Waffe eingesetzt werden. Ein Gegenmittel gibt es nicht, jedenfalls kann es niemand kennen, der nicht genau über dieses Virus Bescheid weiß."

Diesmal nickte Su Linta.

„Aber … aber wer sind die Leute auf der Insel? Wieso tun sie das mit uns?", weinte Poppi.

„Das sind Verbrecher!", brummte Leon Askeno. „Aber wir haben eine Chance … vielleicht hat der Meteorit gar kein Virus gebracht. Vielleicht ist er ungefährlich."

Sie hatten den Kraterrand erreicht und blickten in eine trichterförmige Öffnung. In ungefähr zehn Meter Tiefe lag ein schwarzer, glatter Brocken, der in der Sonne glänzte, als wäre er aus geschmolzenem Glas. Er hatte die Größe eines Schweins und strahlte etwas Mächtiges, Kräftiges, Starkes aus.

Professor Askeno wischte sich mit den Händen immer wieder über das schweißnasse Gesicht. Ohne sich zu den anderen zu drehen, sagte er leise: „Ich … ich glaube, es gibt gar kein Virus. Das Glänzen des Meteoriten bedeutet, er wurde beim Eintreten in die Atmosphäre so stark erhitzt, dass er geschmolzen ist. Kein Virus kann diese Temperaturen überleben. Ich glaube, nicht einmal ein Virus aus dem Weltraum. Wir haben es mit einem harmlosen, aber besonders schönen Meteoriten zu tun."

Lilo warf einen vorsichtigen Blick nach hinten.

Noch immer starrten die Männer in den Schutzanzügen zu den fünf „Testpersonen".

Hinter dem Krater erstreckte sich wieder eine
verbrannte Fläche, die aber bedeutend kleiner war.
Der Meteorit war wohl schräg auf die Insel zugerast.
Am Ende der Lichtung begann ein Waldstück.

„Und was ist, wenn wir jetzt einfach losrennen?",
fragte Lilo leise.

Der Professor und Dr. Linta sahen sie überrascht
an. Poppi und Dominik überlegten stumm.

„Was haben wir zu verlieren? Es kann nicht
schlimmer werden. Aber vielleicht können wir entkommen!", sagte Lilo.

„Wir versuchen es!" Dieser Satz kam von Poppi.
„Du hast Recht, wir müssen es versuchen."

„Los! Wir haben einen großen Vorsprung und
den nützen wir. Bestimmt kommen uns die Typen
nach, aber in den Schutzanzügen sind sie nicht
schnell genug!", sagte Lilo. „Wir werden es schaffen.
Wir werden es schaffen. Wir müssen nur daran
glauben."

„Wir werden es schaffen! Wir werden es schaffen!", stimmten auch die anderen ein.

Dann stürmte Lilo los. Dominik und Poppi folgten ihr. Dr. Linta hatte keine Probleme Schritt zu
halten, nur Professor Askeno fiel ein bisschen zu-

rück. Seine Körperfülle machte ihn nicht gerade sehr beweglich.

Die Silberanzüge brauchten ein wenig, bis ihnen klar wurde, was ihre Gefangenen vorhatten. Als sie sich in Bewegung setzten, hatten die fünf bereits den Vorsprung vergrößern können. Wie angenommen, kamen die Männer in den Schutzanzügen nur im Zeitlupentempo voran.

„Sie bleiben wieder stehen, sie geben auf!", meldete Dominik atemlos. Am liebsten hätten alle gejubelt, doch sie sparten sich den Atem lieber.

„Wohin rennen wir eigentlich?", wollte Poppi wissen.

„Zum Strand hinunter", schlug Lilo vor.

Nachdem sie eine Viertelstunde gelaufen waren, mussten sie stehen bleiben und verschnaufen. Der Durst machte ihnen sehr zu schaffen. Allen klebte die Zunge am Gaumen. Die Hitze hatte sie völlig ausgetrocknet.

„Wisst ihr, in welche Richtung wir müssen?", erkundigte sich Dr. Askeno zweifelnd.

Lilo bestimmte mithilfe ihrer Uhr die Himmelsrichtungen und deutete nach rechts. „Dorthin, dort ist Süden und dort liegt das Meer!"

So schnell wie möglich bewegten sie sich weiter. Der Wald endete bald und sie traten auf eine weite

Grasebene hinaus, die von Bäumen und Felsen begrenzt wurde. Das Gras war bereits so hoch, dass es Poppi fast bis zum Kinn reichte.

„Wir müssen die Wiese überqueren und dann über die Felsen. Aber das schaffen wir, nicht wahr?", keuchte Lilo. Es war keine Frage, sondern eine Aufmunterung, fast schon ein Befehl.

Leon Askeno ging voran und bahnte ihnen einen Weg durch das hohe Gras. Er schnaufte wie ein Nilpferd, das gerade aus dem Wasser aufgetaucht war.

„Psst, dort!" Poppi deutete zum Waldrand, wo plötzlich ein Hirsch erschienen war. Er hielt die dunkle Nase in den Wind, schien sie zu wittern und verschwand wieder.

„Ob er uns bemerkt hat?", wunderte sich Poppi.

„Weiter!", kommandierte Lilo.

Sie kämpften sich voran, bis der Professor plötzlich stehen blieb.

„Was ist denn?", wollten alle wissen.

Leon deutete auf einen schmalen Streifen niedergetrampeltes Gras. Hier war vor kurzem jemand.

„Ein Komi", sagte Su leise. „Er könnte noch in der Nähe sein."

In diesem Augenblick begann es rund um die fünf zu rascheln. Die Spitzen der langen Halme zitterten und beugten sich, als würde eine Sturmböe

darüber hinwegfegen. Von mehreren Seiten kam etwas durch das Gras auf sie zu.

„Die Komodowarane … sie greifen an!", schrie Poppi.

Vor ihr teilten sich die Halme und etwas Dunkelgrünes schoss in die Höhe und stürzte sich auf sie.

ABFLUG

Lilo und Dominik brüllten. Sie konnten Poppi nicht einmal zu Hilfe kommen.

„Aber ... aber ... nicht!", hörten sie ihre Freundin schreien.

Es war kein Komodowaran, der sich auf sie gestürzt hatte, sondern ein Mann in einem olivgrünen Overall. Rund um die Knickerbocker, Dr. Linta und Professor Askeno tauchten Männer aus dem hohen Gras auf. Es waren Leute aus dem Lager, die sie mit grimmigen Gesichtern anstarrten.

„Ihr dachtet wohl, ihr entkommt!", lachte einer spöttisch.

Über Funk meldete sich der General. Er war sehr zufrieden über die Ergreifung der flüchtigen Testpersonen. „Bringt sie in die Isolationsstation zurück", lautete sein Befehl. Die Männer befolgten ihn, ohne weitere Fragen zu stellen.

Eine Stunde später saßen die drei Freunde und die beiden Forscher wieder auf dem Felsen. Der Zugang wurde von vier Männern in silbernen Schutzanzügen bewacht und abgeriegelt. Die Männer in den olivgrünen Overalls waren wütend. Als sie die Gefangenen zurückgebracht hatten, waren sie selbst gezwungen worden, in der so genannten Isolierstation zu bleiben.

Lilo hörte, wie sie sich unterhielten.

„Sie bringen uns fort, in ein Labor in den USA", sagte einer.

„Wir … wir kommen dort nie wieder raus. Keiner ist dort jemals rausgekommen", erklärte ein anderer.

„Der General hätte uns nie losschicken dürfen, um den Flüchtenden den Weg abzuschneiden. Er wusste, was das bedeutet."

„Er hat uns einfach in unser … unser Ende rennen lassen", jammerte ein anderer. Alle waren jetzt verzweifelt und sehr bleich.

„Wann … wann werden wir spüren … was dieses Virus verursacht?", fragte einer seiner Kollegen leise.

Dominik beugte sich zu Leon Askeno und fragte

flüsternd: „Sollten Sie nicht sagen, dass es gar kein Virus gibt?"

Der Forscher schüttelte den Kopf. Er wollte diese Erkenntnis noch nicht preisgeben.

Zwei Helikopter flogen mit lautem Knattern über ihre Köpfe hinweg. Einer davon begann über der Fläche zu kreisen, auf der sie sich befanden. Einer der Wächter bedeutete den Gefangenen zur Seite zu gehen, damit der Hubschrauber landen konnte.

„Nein, ich will auf keinen Fall weggebracht werden!", schrie Dominik und schlug mit den Fäusten auf den Silberanzug ein. Zwei starke Hände in dicken Schutzhandschuhen packten ihn und hielten ihn fest.

„Lassen Sie Dominik los!", schrie Lilo.

Die anderen Männer in den silbernen Schutzanzügen kamen ihrem Kollegen zu Hilfe. Sie streckten die Arme zur Seite und drängten die Knickerbocker, die Forscher und die Männer in den olivgrünen Anzügen vor sich her an den Rand des Plateaus. Sie machten ihnen Zeichen sich hinzulegen, damit sie den Sand, den der Rotor des Helikopters beim Landen aufwirbelte, nicht in Mund und Augen bekämen.

Verzweifelt und völlig entkräftet ließen sich Lilo,

Poppi und Dominik niedersinken. Der Helikopter war gekommen, um sie abzuholen.

Der Rotor wurde abgestellt und lief aus. Der Wind legte sich. Die Knickerbocker hoben die Köpfe und sahen, dass sich im hinteren Teil des Hubschraubers langsam eine Klappe öffnete. Das Innere war weiß wie ein Operationssaal. Es gab keine Fenster, und als Sitze dienten zwei schmale Bänke. Sie waren nicht gepolstert, sondern aus glattem Kunststoff. Sobald sie dort drinnen säßen, gäbe es bestimmt nicht mehr die allergeringste Chance zu entkommen.

Den Piloten bekamen sie nicht zu sehen. Er blieb in seinem verspiegelten Cockpit.

„Los, einsteigen!", drängten die Schutzanzüge mit ihren elektronischen Stimmen. Sie stießen die Gefangenen mit den Fußspitzen und stellten sich so auf, dass jede Flucht unmöglich war.

Es blieb den drei Freunden nichts anderes übrig als aufzustehen und auf den Helikopter zuzugehen. Das Weiß im Inneren wirkte bedrohlich. Die Kälte, die es ausstrahlte, ließ die Knickerbocker erschaudern. Die drei waren noch zehn Schritte von der Öffnung entfernt. Lilo schnalzte zweimal mit der Zunge, um die Aufmerksamkeit ihrer Freunde zu erregen. Völlig unerwartet sprang sie nach links. Es gelang ihr, zwischen zwei der Schutzanzüge durch-zukommen und zum Weg zu laufen. Dominik und Poppi aber schafften es nicht.

Die Männer verfolgten sie nicht einmal. „Komm zurück!", sagte einer nur scharf. „Sonst geht es dei-nen Freunden nicht sehr gut."

Lilo hatte keine andere Wahl, sie musste umdre-hen. Der Fluchtversuch war gründlich missglückt.

Und dann standen sie vor der Öffnung im Hub-schrauber. Als Erste stiegen die Männer in den oliv-grünen Overalls ein.

„Und jetzt du!", kommandierte einer der Männer im Schutzanzug und deutete auf Lilo. Widerstre-bend streckte sie die Hände aus und packte die Haltegriffe, die links und rechts des Einstiegs ange-bracht waren. Sie setzte den Fuß auf eine Art Tritt-brett und hätte am liebsten losgeheult. Wieso gab es denn gar keinen Ausweg mehr?

„Halt!", hörte sie die schnarrende, elektronische Stimme hinter sich sagen. Überrascht drehte sie sich um. „Zurück!" Hände in Schutzhandschuhen ris-sen Lilo vom Trittbrett. „Operation abgesagt. Auf Befehl von Dr. Loser." Die Männer in den Schutz-anzügen sprangen zu den anderen in den Helikop-ter und die Luke schloss sich. Die Knickerbocker, der Professor und Dr. Linta konnten sich gerade noch auf den Boden werfen, bevor der Rotor wieder anlief und der Helikopter abhob.

Als er fort war, sahen die fünf einander völlig ratlos an. Was hatte das zu bedeuten?

„Das habt ihr geschafft? Echt?" Lilo, Dominik und Poppi konnten es noch immer nicht glauben.

Axel nickte stolz. Joe saß neben ihm und sah wie ein Häuflein Elend aus. „Nur Axel gebührt das Lob. Ich … ich bin wirklich ein Versager. Außer Pleiten gab es noch nie etwas in meinem Leben."

„Du hast heimlich das Haus von Mister Krok vermietet", sagte Dominik.

Joe nickte.

Axel klopfte ihm auf den Rücken. „Kopf hoch, du hast alles in der Hand. Es kann noch immer ein feiner Kerl aus dir werden. Und gestern hast du ganze Arbeit geleistet."

Axel und Joe war es nämlich gelungen, den Leutnant und Dr. Loser zu überwältigen. Axel war aus seinem Versteck gesprungen und hatte Dr. Loser nach hinten gestoßen. Dieser war gestürzt und hatte sich dabei das Bein verletzt. Joe hatte den Leutnant mit einem kräftigen Stoß ins Schwimmbecken befördert, war ihm nachgesprungen und hatte ihm die Waffe abgenommen.

Es war Axels Idee gewesen, Dr. Loser zu zwingen, die Operation abzublasen und den Befehl zu geben, alle Gefangenen sofort freizulassen.

Der Hammer an der ganzen Sache kam aber noch: Dr. Loser hatte sich bei Black Cat nur wichtig gemacht, um auf diese Weise der Organisation viel Geld abzuknöpfen. Er selbst hatte den Computer des Weltraumzentrums angezapft und die Daten über das angebliche „Leben" im Inneren des Meteoriten eingegeben. So konnte er Black Cat zu der großen Aktion überreden. Für seine Vorbereitungsarbeiten und die Untersuchungen in seinen Labors hatte er viele Millionen verlangt.

Leon Askeno hatte den Meteoriten bereits in das Weltraumzentrum bringen lassen, wo er gründlich untersucht wurde. Vielleicht gab es im Gestein tatsächlich wichtige Hinweise, die neue Erkenntnisse über das Weltall brachten. Später sollte der prachtvolle Stein jedenfalls einmal ausgestellt werden.

„Und wenn er einen Namen bekommt, so werde ich vorschlagen, ihn Knickerbocker zu nennen", hatte Professor Askeno versprochen.

Der Polizei war ein großer Schlag gegen Black Cat gelungen. Einige der Köpfe waren festgenommen worden und würden auch nicht mehr so schnell auf freien Fuß gelangen.

„Und der Schatz? Was ist mit dem?", wollte Lilo wissen.

„Wir werden ihn suchen. Zwei Tage haben wir noch dafür!", schlug Axel vor. Die anderen waren sofort einverstanden.

„Nein, das … das dürft ihr nicht!", fuhr Joe in die Höhe.

„Keine Sorge, wir haben ohnehin etwas anderes vor!", beruhigte ihn Lilo lachend. „Außerdem handelt es sich wahrscheinlich ohnehin nur um eine Legende."

„Was habt ihr denn vor?", fragte Joe misstrauisch.

„Am Nachmittag fahren wir mit Dr. Linta zur Insel. Diesmal wollen wir wirklich Komodos fotografieren. Schließlich müssen wir endlich unseren Artikel schreiben!", sagte Dominik.

Damit war Joe einverstanden, aber glücklich war er nicht. „Am liebsten würde ich euch unter eine Käseglocke setzen!", seufzte er.

„Nützt nichts!", kicherte Poppi. „Bestimmt stoßen wir dort auf das Ungeheuer, das die Löcher in den Käse bohrt. Wir sind eben echte Knickerbocker, und die lassen niemals locker."

Die vier bogen sich vor Lachen und Joe stimmte schließlich zögernd mit ein.

DER KNICKERBOCKER-
BANDENTREFF

**Werde Mitglied im Knickerbocker-Detektivclub!
Unter** www.knickerbocker-bande.com **kannst du dich
als Knickerbocker-Mitglied eintragen lassen. Dort erwarten
dich jede Menge coole Tipps, knifflige Rätsel und Tricks
für Detektive. Und natürlich erfährst du immer
das Neueste über die Knickerbocker-Bande.**

**Hier kannst du gleich mal deinen detektivischen Spürsinn
unter Beweis stellen – mit der Detektiv-Masterfrage,
diesmal von Axel:**

HALLO KUMPEL,

eins steht mal fest: Wenn Miss Superschlau
Lilo diesen Wettbewerb für Junior-Reporter
nicht gewonnen hätte, wäre uns so einiges
erspart geblieben. Aber wir mussten ja auf
diese Insel zu den „Letzten Drachen der
Erde". Nur damit wir uns richtig verstehen:
Ich spreche hier nicht von niedlichen kleinen
Kuscheltieren. Nein, Komodowarane sind
ganz schön unheimliche Viecher – riesen-
groß und blutrünstig, und noch einmal
möchte ich so einem nicht zu nahe kommen. Diese eine Begegnung hat mir
vollkommen und für immer gereicht.

Na ja, und dann waren da ja auch noch Dr. Loser
und Leutnant Trasher, zwei ganz unangenehme
Zeitgenossen. Aber ich hatte mal wieder alles im Griff.
Wisst ihr ja schon.
Und deshalb könnt ihr doch ganz easy
diese Frage beantworten:
Für welche Organisation arbeitet Leutnant Trasher?

Die Lösung gibt's im Internet unter
www.knickerbocker-bande.com
Achtung: Für den Zutritt brauchst du einen Code.
Er ist die Antwort auf folgende Frage:

Zu welcher biologischen Klasse
gehören die Komodowarane?

Code
43077 Amphibien
47094 Reptilien
40773 Säugetiere

Und so funktioniert's:
Gib jetzt den richtigen Antwortcode auf der Webseite
unter **MASTERFRAGE** und dem zugehörigen Buchtitel ein!

Hasta la vista
Dein

Axel

HALLO THOMAS!

Wolltest du schon immer Schriftsteller werden?

Zuerst wollte ich Tierarzt werden, aber ich habe beim Studium schnell erkannt, dass das kein Beruf für mich ist. Geschichten habe ich mir immer schon gerne ausgedacht und geschrieben habe ich auch gerne. Allerdings nicht in der Schule, denn meine Deutschlehrer waren immer nur auf Fehlerjagd. Geschrieben habe ich mehr für mich und durch viele Zufälle ist aus dem Hobby ein Beruf geworden.

Wie lange brauchst du für ein Buch?

Ganz unterschiedlich. An guten Tagen schaffe ich etwa 20 Buchseiten. Es gibt auch Tage, an denen ich nur wenig schaffe. Trotzdem setze ich mich immer hin. Ich höre übrigens immer mitten im Satz zu schreiben auf. Am nächsten Tag fällt das Anfangen dann viel leichter.

Erfindest du alles, was in deinen Büchern steht, oder recherchierst du viel?

Natürlich recherchiere ich, wenn es das Thema verlangt. Sehr gründlich. Das ist auch wichtig für mich, weil ich mich sonst beim Schreiben nicht sicher fühle. Zum Recherchieren bin ich schon U-Boot gefahren, durfte einmal als Flug-schüler ein kleines Flugzeug steuern, habe einen Sturzflug miterlebt, Tierpfleger bei der Arbeit begleitet, lange

Gespräche mit Tierschützern geführt und viele Städte und Länder bereist. Die Geschichten selber entstehen natürlich in meiner Fantasie.

Woher nimmst du eigentlich deine Ideen?

Hm, das ist mir selbst ein Rätsel. Sie kommen ganz einfach. Ich ziehe Ideen an wie ein Magnet … Ich halte Augen und Ohren weit offen und fange sie auf diese Weise ein. In meinem Kopf reifen sie dann. Manche ein paar Wochen, andere ein paar Jahre. Von 1000 Ideen setze ich aber nur vielleicht 30 um. Ich sammle ständig und überall. Oft genügt ein winziger Anstoß und auf einmal wächst daraus die Geschichte.

Entstehen deine Geschichten erst beim Schreiben am Computer oder hast du sie schon vorher ganz genau in deinem Kopf?

Mehr als zwei Drittel sind fertig, wenn ich mich zum Schreiben hinsetze. Ich notiere jede Idee in einen Mini-Computer, den ich immer dabeihabe, aber nur aus einigen werden dann Geschichten. Manchmal braucht das „Wachsen" ein paar Wochen, manchmal ein paar Jahre.

Was ist das für ein Gefühl, wenn man so bekannt ist?

Ich finde es toll, wenn ich Briefe und E-Mails von Lesern bekomme, die mir erzählen, wie viel Spaß und Spannung sie beim Lesen hatten. Das ist für mich ein wunderbares Gefühl. Schließlich schreibe ich nicht, um bekannt zu sein, sondern weil es für mich die tollste Sache der Welt ist.